WIÓR Y

KRYSTYNA KOFTA WIÓRY

wydawnictwo
w.a.b

Przyjechala Żydala z Paryżala

– Pani Doniuuu! – wołała kobieta, patrząc w uchylone okno wysokiego parteru. – Pani Doniu!! – zawołała jeszcze głośniej. Jej głos przeszywał powietrze jak gwizdek. W oknie pojawił się kot. Wpatrzył się wąskimi, nieruchomymi źrenicami w wołającą kobietę.

– Pani Doniuuu!! – krzyk brzmiał w spokoju letniego podwórka nienaturalnie dramatycznie.

Dzieci przerwały zabawę za krzakami obrastającymi spory trawnik i wyłaniały się powoli, niosąc ze sobą lalki, kije, butelki i koc, który rozłożyły na trawie, bliżej wołającej kobiety.

Przyciągnął je wysoki, koloraturowy głos, a zaciekawił jej strój: dziwaczny kapelusz z woalką, błyszczący płaszcz w kolorze kardynalskim i białe koronkowe rękawiczki.

– Pani Doniu!! – Zrobiła parę kroków do tyłu, jakby chciała zajrzeć w głąb mieszkania. Kot zeskoczył z parapetu i zniknął w pokoju. Dzieci patrzyły na nią bez zażenowania, komentując zwłaszcza kapelusz z woalką, jakiego być może nigdy nie widziały.

Przeszła kilka kroków w kierunku śmietników, ale dochodzący stamtąd zgniły smród odepchnął ją w przeciwną stronę.

Wyjęła z torebki mały flakonik i wylała parę kropel na śnieżnobiałą chustkę, którą przytknęła do nosa.

– Pani Doniu! – zawołał piskliwie mały chłopiec i natychmiast wpadł za krzaki, jakby groziło mu niebezpieczeństwo.

Albo nie usłyszała, albo udawała, że nie słyszy, bo nie zareagowała żadnym gestem.

Najstarszy chłopak wyciągnął skądś rower i zaczął objeżdżać podwórko dookoła. Inne dzieci naradzały się nad czymś półgłosem, ale kobieta nie zwracała na nie uwagi. Ciągle wpatrywała się w okno na parterze.

– Pa-ni-Do-niu-pa-ni-Do-niu-pa-ni-Do-niu!!! – dzieci skandowały to jak hasło, stojąc na skraju trawnika, gotowe w każdej chwili rozbiec się w bezpieczne miejsca, których dookoła było wiele: bramy klatek schodowych, dziury w płocie łączące podwórko z sąsiedztwem, a przede wszystkim piwnice, labirynty czarnych od węglowego pyłu korytarzy, wypełnione stęchłym zapachem zeszłorocznych ziemniaków.

Ale nic się nie działo.

Kobieta wytyczyła krokami mały okrąg, z którego trasy nie schodziła. Słońce stało pionowo nad jej kapeluszem. Było tak gorąco, że dzieci zdejmowały nawet podkoszulki. Porozsiadały się na kocu i piły wodę z przeźroczystych butelek po wódce, z czerwoną kartką.

Kobieta wytarła chustką czoło pod woalką, odsłaniając na moment mięsisty nos i małe, osadzone blisko siebie oczy w twarzy dużej i płaskiej, matowobiałej od pudru.

Stado gołębi wzbiło się na wysokość trzeciego piętra, gdzie niewidzialna ręka wyrzuciła im codzienny deputat składający się z okruchów chleba, kaszy i ryżu.

Dzieci wyciągnęły karty i zdawało się, że tajemnicza osoba przestała dla nich istnieć.

– Pani Doniu! – kolejne wołanie rozsadziło życie podwórka.

Zaniepokojone gołębie przeleciały z miejsca na miejsce, kot znów znalazł się na parapecie, a przechodząca stara, siwa żebraczka z wielkim workiem na plecach stanęła w pół drogi i uważnie przyjrzała się wołającej. Poprawiła worek i ruszyła dalej.

Zbyt duży, zupełnie biały ogryzek pośpiesznie dojadanego jabłka wylądował pod oknem.

– Ta Jehowa – zamruczała żebraczka, przechodząc obok koca.

– Jehowa – powtórzyły dzieci i zaczęły tarzać się ze śmiechu.

Z mieszkania w suterenie wyszła grubokoścista dziewczynka z nieproporcjonalnie dużą głową, powiększoną jeszcze przez dwa grube warkocze sięgające ud. Jeden zwisał z przodu, a drugi obijał się o plecy, kiedy schodziła po schodkach.

– Są w pokoju – powiedziała cicho i dzieci wybiegły z podwórka, żeby znaleźć się jak najszybciej przy oknie pokoju od strony ulicy.

– Będą się ruchali? – zapytał najstarszy chłopak, który objechał kamienicę na rowerze i z piskiem zahamował przed grupą.

– Pewnie będą – odpowiedziała dziewczynka, kręcąc na palcu koniec warkocza – bo dał mi na oranżadę, żebym wyszła z domu.

Przed oknami rosły dwa modrzewie o miękkich igłach, między nimi zaś mieścił się klomb, kształtem przypominający zadbany grób noworodka.

Dzieci ustawiły się teraz tylko po jednej stronie okna, żeby nie podpaść Cholewkarzowi, którego warsztat przylegał do mieszkania w suterenie.

– Cicho – powiedziała chuda blondynka, chociaż nikt nic nie mówił. – Cicho, rozpina spodnie.

Dzieci przyklejone do ciepłego, nasłonecznionego muru w skupieniu obserwowały zamazaną scenę miłosną odbywającą się za kurtyną koronkowych firanek.

– Podkłada jej pod dupę poduszkę – skomentował syczącym, niepewnym szeptem najstarszy – i jakieś ręczniki.

– Świnie – powiedziała chuda blondynka z czerwonymi ustami. – Nie mogę na to patrzeć.

– Co świnie, co świnie, kto świnia?

– Nie chcesz, to nie patrz.

– Cicho.

– Nic nie widać, tylko jego gołą dupę.

– Pa-ni-Do-niu-pa-ni-Do-niuuu! – kobieta atakowała teraz okna mieszkania pani Doni od strony ulicy.

– Już po wszystkim – powiedział najstarszy chłopak.

Cholewkarz wyjrzał przez uchylone drzwi warsztatu ciemnego jak nora. Światło dzienne oślepiło go na chwilę, ale jednocześnie z oswojeniem wzroku zaczął wrzeszczeć na bandę dzieciaków.

– Precz, nikt nie pilnuje, zadepczą wszystko, matki plotkują zamiast uważać na dzieciaki, jak złapię tu jeszcze którego, psem poszczuję! Perła, Perła, wyłaź, Perła...

Wyszedł pies czarny, gruby, niski, nierasowy, ziewnął i padł jak martwy na wygrzanych schodkach prowadzących do zakładu. Cholewkarz mówił jeszcze, chociaż dzieci siedziały już na kocu na podwórku i popijały czystą wodę, gulgocząc przesadnie, zachłystując się i krztusząc, rozśmieszały się wzajemnie, plując zimnymi pryszni-cami z wydętych wodą policzków.

– Przerwa – powiedział do siebie Cholewkarz, patrząc na słońce. Był zupełnie spokojny. Zapiął szary kitel robo-czy na kulistym brzuchu, obudził psa, ciągnąc go za uszy, i zaczął zakładać kłódkę na opuszczoną kratę.

– Uszanowanie. – Skłonił się sunącej ulicą kobiecie dotkniętej słoniowatością. Co to za czołg, dodał w myśli.

– Dziendobhy, dziendobhy – odpowiedziała, nie prze-stając pracowicie suwać rozdętymi nogami. Pokonała najwyżej trzy metry, kiedy Cholewkarz przeszedł już klat-kę schodową i mijał koc, zdążając na obiad.

Z drzwi prowadzących do sutereny od strony podwór-ka wyszedł mężczyzna z rękami w kolorze rdzy, odcinają-cymi się od wyszmelcowanego, czarnego kiedyś ubrania. Jego twarz nie zdradzała żadnego napięcia, zwisające po-liczki pozbawione były mięśni. Kiedy szedł, poruszały się przy każdym kroku, w rytmie innym niż ruch jego ciała.

– Eda – powiedziała nie wiadomo która dziewczynka, bo wszystkie miały zamknięte usta.

Eda żółtą, jakby obcą ręką długoletniego pracownika fabryki papierosów dotknął różowego policzka. Potem zapiął teczkę dokładnie dobraną kolorem i stopniem zu-życia do ubrania i powoli ruszył w kierunku wielkiej bramy wjazdowej. Dzieci patrzyły za nim bez żalu, wie-dząc, że za dwa albo trzy dni znów cała scena powtórzy się dokładnie, nie nużąc ani tych, którzy brali w niej bez-pośredni udział, ani tych, którzy ją obserwowali.

Na burym kocu pojawiła się trójkątna czerwona chus-ta. Padały na nią drobne monety, które ktoś układał w słupek. Ktoś inny pociągnął za róg chustki i monety potoczyły się po kocu.

- Kto pójdzie do Ropuchy po miodówki? - spytała chuda dziewczynka i zaczęła wyliczać, wskazując kolejno: ene due like fake torba borba usme smake eus deus kosmateus boks.

- Pająk idzie! Pająk idzie! - zawrzeszczały dzieci.

Z okna trzeciego piętra wychyliła się głowa. Jej otwarte usta wołały słodkim, melodyjnym głosem:

- Mareczku, kogel-mogel z truskawkami.

Jeden chłopak trącił małego grubasa kolanem w podbrzusze.

- Z dwóch jaj, Mareczku.

Pająk zebrał monety, siadł na rower i pojechał chodnikiem do kiosku, stojącego po tej samej stronie ulicy co podwórko. Oparł rower o drewnianą zieloną budkę i zapukał w małe okienko, żeby obudzić Ropuchę.

- Sześć miodówek. - Położył monety na stosie świeżych gazet.

- A poproszę zostawiłeś w domu? - Głos usprawiedliwiał przezwisko, a grube, wypukłe szkła okularów także mu nie przeczyły. Pulchną białą ręką odliczała pieniądze. Położyła miodówki na parapecie kiosku i zatrzasnęła szybkę.

Ciemnożółte, prawie brązowe, owinięte w celofan miodowe dachówki, produkowane z karmelu i cebuli. Schował je do skórzanej torebki za siodełkiem i wracał, pedałując na stojąco w wariackim tempie.

Najstarsza córka Cholewkarza myła okna wpuszczonego głęboko w ziemię wilgotnego mieszkania; okna, których parapety biegły mniej więcej ćwierć metra nad bujną trawą otoczoną niskim murkiem.

- ...bry - doleciało do niej z roweru.

Pochuchała na szybę i znów polerowała ją kolistymi ruchami miękko i pieszczotliwie.

Rower nagle przyhamował, przepuszczając niskiego, drobnego mężczyznę. Miał okrągłą czapkę, paramilitarne ubranie z zielonej gabardyny, bez dystynkcji, ożywione jedynie przykręconymi i poprzypinanymi na piersiach odznakami; czarne buty z szeroką cholewą dopełniały wrażenia munduru.

Gęsty wąs, charakterystyczny przez podobieństwo do wiszących wszędzie portretów, czynił tę stylizację bardziej groźną niż groteskową. Nieprzenikniony wyraz twarzy niosło ze sobą spojrzenie małych, błyszczących oczu, rzucone z powagą spod krzaczastych brwi.

Chłopak stał z opuszczoną głową, trzymając rozłożyste rogi kierownicy.

– ...największy strateg naszych czasów, o tym należy pamiętać – mówił mężczyzna matowym głębokim głosem. – O tym nie pamiętają niektórzy, ale was przecież w szkołach uczą, mam nadzieję, że wbijają wam to do głowy, genialny wódz, kiedy zapytano go o kwestię...

Chłopak postawił nogę na pedale.

– Czy Elżunia jest w domu? – spytał grzecznie.

– ...powiedział im wtedy, co myśli na temat kleru i jego funkcji, ale wy oczywiście wszyscy do kościoła.

– Machnął zrezygnowany ręką i nie zmieniając wyrazu twarzy, odszedł dumny i wyprostowany.

Chłopak nie wsiadł na rower. Prowadził go w kierunku dzieci.

– Najechałeś na niego?

– Nie, zahamowałem w ostatniej chwili.

– Co mówił?

- To co zawsze - powiedział Pająk, robiąc ręką ruch w okolicy czoła, jakby miał zamiar złapać muchę.

- Biedna Elżucha. - Dziewczynka z jasnymi włosami współczująco otwierała swoje dojrzałe, czerwone usta.

- Szprycha zawsze wszystkich żałuje - powiedział złośliwie Mareczek, któremu reszta kogla-mogla przyschła do czubka nosa.

- No bo pewnie - powiedziała Szprycha.

- Elaaa, Elaaaa! - zawołał Pająk stojący przy rowerze. Po chwili całe podwórko wypełniło się wołaniem jak śpiewem. Ela wyszła na balkon. Patrzyła przez moment na demonstrację na dole. Na białej bluzce znaczyły się rogi czerwonej chusty.

- Przyjdziesz? - zawołała Szprycha.

- Zaraz przyjdę - odpowiedziała z góry.

- Biedna Ela - powtórzyła jeszcze raz po cichu Szprycha.

Odwróciła się nagle i pobiegła w kierunku otwartych drzwi, w których stała kobieta z kubkiem w wyciągniętej ręce.

- Wypij to szybko - matka podała jej kubek z mlekiem - jest bez kożuchów. - Szprycha przyłożyła wypukłe usta do zimnej porcelany i piła dużymi, głośnymi łykami.

- Przyjdzie Ela od Ubowca - powiedziała zdyszana, oddając matce pusty kubek.

- Pamiętaj, żebyś przy niej nic nie mówiła. - Głos matki brzmiał ostrzegawczo.

Z bramy wjazdowej wybiegła odświeżona i znacznie żywsza Perła. Za nią kroczył Cholewkarz, a pochód zamykała jego żona wyglądająca jak skrzyżowanie Włoszki z Cyganką. Gęste, granatowo błyszczące włosy upięła w olbrzymi kok, duże złote koła kołysały się w uszach, kolorowa suknia opinała obfite ciało; na nogach miała buty z wiśniowego zamszu na podeszwie z prawdziwego korka przekładanego skórą. Bardzo krótkie nogi z trudem wytrzymywały kołysanie zadu, przez co chodziła niezdarnie jak łabędź. Skrzypienie nowych butów zawładnęło podwórkiem.

Idąc za mężem, mówiła do niego bez przerwy zachrypłym wilgotnym głosem piwnicy, łamiącym się i wznoszącym, zanikającym i powracającym nadspodziewanie głośno po odchrząknięciu:

– ...w Czechosłowacji, może głupiemu mówić, że w Czechosłowacji, wiesz, gdzie jest, wielki mi pan inżynier, wsadzili go jak każdego i też za nic, jej siostra mi powiedziała, on mówi, że nic nie wie...

Cholewkarz odwrócił się.

– Wie czy nie wie, i tak powie...

Zniknęli w klatce schodowej w momencie, w którym Ela zatrzasnęła drzwi mieszkania.

– Tylko nie mówcie o komunii – powiedziała szybko – bo będzie jej przykro.

Ela miała teraz na sobie cywilną bluzkę w kolorze jasnego nieba.

– Bawimy się w Żydala z Paryżala.

Siedli na schodach jedno przy drugim, na rozgrzanym kamieniu, dotykając się obnażonymi ramionami. Gruby Mareczek udawał, że dźwiga wielki wór. Potykał się, padał, nareszcie podszedł do schodów i zaczął handel z pierwszą dziewczynką, która parsknęła śmiechem, zanim się odezwał.

– Fant – powiedział Mareczek.

– To się nie liczy, jeszcze się nie zaczęło.

Mareczek spoważniał, pochylił się nad nią i ryknął tak nagle, że wszyscy podskoczyli. Dziewczynka utrzymywała powagę.

– Przyjechala Żydala z Paryżala, nie ma nic do śmiala ani do chichrala, co pani ma do sprzedala?

– Ołówek – powiedziała słabym od tłumionego śmiechu głosem.

– Ołówek? – wrzasnął Mareczek. – Jaki ołówek?

– Ołówek.

– A co to jest? – Mareczek dotknął swego ucha.

– Ołówek – zapiszczała resztką sił.

– A co pani ma w dupie?

– Ołówek – wycharczała, kiwając się w przód i w tył.

Zaczęli wyć i śmiać się.

– Dawaj fant! – krzyknął Mareczek.

Wyjęła z włosów spinkę w kształcie motyla.

– Przyjechala Żydala z Paryżala... – Następna dziewczynka nie mogła wykrztusić słowa, tak się śmiała.

Na szczęście dla niej na podwórku pojawił się Marych. Wybiegł z klatki schodowej i gwiżdżąc, skierował się do pakamerki. W ręku trzymał śniadanie zapakowane w pergamin.

– Ale Bikiniarz – powiedziała Córka Stróżki, kiedy zniknął za niskimi drzwiami pakamerki.

– Kto Bikiniarz? Marych Bikiniarz? – oburzył się Pająk.

Chłopcy patrzyli, jak Marych uruchamia motocykl. Podciągnął wąskie spodnie, żeby nie wypchać kolan; miał skarpetki w kolorowe paski i wiśniowe buty na grubej kauczukowej podeszwie, na słoninie, jak mówiły dzieci; niedawno wrócił do cywila, włosy zdążyły mu już podrosnąć na tyle, żeby ułożyć je w modną jaskółę.

- Przewiezie mnie pan? - spytał mały chłopiec.
- Śpieszę się do roboty.
- A mnie pan też przewiezie potem? - Dziewczynka może cztero-, a może pięcioletnia chciała sobie zapewnić jedno okrążenie. - Naokoło placu Asnyka.
- Przewiozę.
- Pan idzie na drugą zmianę? - Mareczek pytał dla podtrzymania kontaktu, bo to było oczywiste.
- Jasne, że na drugą - odpowiedział Pająk za Marycha, który siedział na zapuszczonym motorze, pyrkając na niebiesko z rury wydechowej. Oddalił się od nich znienacka. Mniejsze dzieci biegły przez chwilę za motorem, chcąc go dogonić, lecz szybko wróciły zrezygnowane.
- Bażant buty ma zamszowe i skarpetki kolorowe - śpiewały dziewczynki - spodnie wąskie niby gacie, gołe baby na krawacie, marynarka po kolana z samodziału wykonana...
- Nic się nie zgadza oprócz skarpetek i spodni - powiedział Pająk.
Wrócili do zabawy w Żydala, ale zaraz rozległy się wołania z okien, na obiaaad, naaa obiaaad. Podwórko opustoszało. Została tylko Ela i grubokoścista Córka Stróżki, której matkę obserwowały dzieci w scenie miłosnej z Edą.
- Przyniosę piłkę - powiedziała Ela - to sobie zagramy w dziesiątki.
Stróżka zaczęła zamiatać podwórko miotłą złożoną z wiklinowych witek. Córka patrzyła na nią uważnie, siedząc na schodach. Matka, szurając miotłą, zbliżała się coraz bardziej. Popatrzyły na siebie. Szuranie oddaliło się. Wybiegła Ela z brunatną gumową piłką, którą zaczęła uderzać o mur. Skusiła i oddała piłkę koleżance.

- Jadę na kolonie z TePeDe. Nad morze - powiedziała Ela. Tamta, licząc w skupieniu, odbijała kolanem piłkę.
- ...siedem, osiem, dziewięć, dziesięć. - Przestała odbijać. - Jak chcesz, to ci mogę pokazać suknię do komunii - szepnęła.
- Długą? - spytała Ela.
- No, do samej ziemi i tu na środku wyhaftowane złote koło, z takimi promieniami rozchodzącymi się na wszystkie strony, jak słońce, a w tym kole litery: IHS.
- Co to znaczy?
- To są święte litery, to znaczy, że tam jest Pan Bóg.
- A w ręce będziesz miała kwiat?
- Białą lilię, już mi matka kupiła, zrobioną z płótna.

Piłka leżała bezużytecznie, a one spacerowały, obejmując się, po kamiennej części podwórka.

- Jakby mój ojciec wiedział, toby mnie zabił - powiedziała Ela z wyczuwalną dumą w głosie.

Stróżka niosła teraz miotłę wiklinowymi gałązkami w górę, jak bukiet.

- Obiad - powiedziała zmęczonym głosem do córki.
- Mama, czy Ela może do mnie przyjść na trochę? - spytała nieśmiało dziewczynka.
- Niech przyjdzie, może dostać zupy.
- Ja już jestem po obiedzie - powiedziała Ela, gdy wchodziły do piwnicznego mieszkania.

Przez jakiś czas podwórko stało ciche, pozbawione głosów dzieci i nawoływań matek. Jedynie z okna na wysokim piętrze radosne chóry donosiły światu, że „cudowny nasz koń wejdzie na świeżą błoń, za nim tysiąc traktorów i maszyn", słowa pieśni leciały w niebo jedne po drugich sprawnie i wartko, obijając się przedtem o grube mury studni zbudowanej z wysokich, porządnych kamienic,

zamykających wydłużony prostokąt podwórka: „Będzie
orać i żąć, zbierać plony w republikach naszych". Pieśń
urwała się nagle, jakby pochłonęło ją niebo. Zaszumiały
wierzchołki topól wystających ponad wszystko.
Podwórko przecinali mężczyźni z teczkami, wielu
w mundurach tramwajarzy. Ciszę przerwało ostre gwizda-
nie na palcach i niski głos, niezbyt zdecydowany po nie-
dawnej mutacji, zawołał:
– Ka-ju – i jeszcze raz – Kaaa-juuu!

W czworoboku kamienic oprócz tego największego
podwórka mieścił się przylegający do niego ogród od-
dzielony jedynie siatką parkanu (dwie morele, jedna jab-
łoń, dwa orzechy włoskie, które brudziły ręce na brązowo, kiedy się je zrywało zielone, i parę krzewów agrestu),
z lewej strony ogrodu, za wysokim murem posypanym
z inicjatywy tamtego dozorcy szkłem, znajdowało się ka-
mienne podwóreczko, na które przełaziło się w zabawie
w policjantów i złodziei po betonowym śmietniku, jeden
krok na mur, przełożyć nogę, złapać za żelazny drąg służący do trzepania dywanów, jeżeli trzepak był właśnie
zajęty, jeden skok i już na ziemi, po drugiej stronie.
Na prawo od ogrodu nie było nic ciekawego, a z prawej
strony największego podwórka było jeszcze podwórko
pod szóstką, odgrodzone do połowy siatką z wielką dziu-
rą, a od połowy wysoką na dwa metry ścianą służącą
w czasie zabaw do rozstrzeliwania Niemców przy akom-
paniamencie wrzasków „hendeho" i „butem w mordę".
Było to też miejsce startu w biegach od końca do końca
i granica gry w palanta.
    Największe podwórko było bardzo długie. Obejmo-
wało trzy klatki: osiem, siedem A i siedem na jednej pros-
tej; ich przedłużeniem była olbrzymia brama wjazdowa,

przez którą przywożono węgiel na wozach zaprzężonych zwykle w dwa konie, silne i krępe; były to na ogół deputaty dla pracowników różnych instytucji państwowych, ale ci dzielili się z prywatną inicjatywą w postaci Cholewkarza, dwóch Krawców i Zegarmistrza, którzy kupowali węgiel od wozaków „pod ręką".

Także teraz, mimo że był środek lata, przy bramie wjazdowej leżała wysoka pryzma węgla bez miału i szutru, wybrany gatunek, wielkie bryły, błyszczące, jakby pociągnięto je lakierem, przez co czerń pogłębiała się jak czarne lustro, poznaczone gęsto złotymi żyłkami; dzieci zeskrobywały spinkami do włosów te zastygłe strużki, sądząc, że uda im się tym sposobem uzbierać do pudełka po zapałkach choć trochę czystego złota. Wielkie bryły trzeba było rąbać obuchem siekiery, żeby zmieściły się w drzwiczkach pieca kaflowego, a kiedy łapał je ogień, strzelały, powodując małe detonacje, i mówiło się wtedy, że przyjdą goście, bo w piecu strzela, i przychodzili, nie zawsze oczekiwani, zadawali dużo pytań, na które trzeba było coś odpowiedzieć, trzeba się było dobrze nagimnastykować, żeby powiedzieć i nie powiedzieć, a kiedy wychodzili, oddychało się z ulgą, że przynajmniej przez jakiś czas będzie spokój.

Kiedyś Szprycha wbiegła, płacząc, na podwórko, z sercem trzepoczącym z lęku o ojca, któremu na sam widok trzech mężczyzn krew odpłynęła z twarzy, ojca opierającego się o wielki stół krawiecki, jakby się bał, że upadnie...

– Wyjdź na podwórko – powiedziała spokojnym głosem matka, a ona wybiegła w kierunku dzieci, płacząc, i wymówiła jedno tylko słowo: rewizja, wtedy najstarszy chłopak, Pająk, zwany tak tylko z racji wyglądu, a nie charakteru, zacisnął kościste ręce w pięści, aż zbielały mu knykcie, i powiedział:

– Trzeba zdobyć ich zdjęcia.

Całe przedpołudnie trwała narada nad tym, jak ich sfotografować, ale żadne dziecko nie miało własnego aparatu. Może ukraść im legitymacje, bo jakby się już miało zdjęcia, to wystarczy wbić szpilkę w oczy, to oślepnie, albo w serce, to go zaraz szlag trafi.

Czarne tysiącletnie bryły ułożone w wysoką piramidę są obojętne na to, co słyszą.

– Ładny węgiel – mówi Blokowa do Inżynierowej.

– Ciekawe, komu też przywieźli...

– Może Kapitanowi z góry?

– Kapitanowi wojsko od razu do piwnicy znosi.

– Może Pijusowi?

– Może Pijusowi.

Pijus mieszkał w suterenie. Po lewej stronie było wejście do piwnic, po prawej do Pijusa. Nie bez przyczyny Inżynierowa zadała to pytanie.

– Pani patrzy. – Wskazała oczami i pociągnęła za swoim spojrzeniem Blokową.

Na schodach siedziała chuda, sinawa od piwnicznej pleśni dziewczynka o rzadkich włosach splecionych w mysi ogon.

– Pilnuje węgla.

Dziwna i nerwowa córka Pijusa bawiła się tylko z małymi dziećmi, znacznie młodszymi od siebie. Była bardzo blada, miała drżące ruchy i zanikający głos. Okrutne przezwisko „Ofiara Losu", jakim obdarzyły ją dzieci, trafiało w sam środek worka ze łzami, który miała zamiast serca.

- Jak on nie pije, to jest nawet inteligentny człowiek - powiedziała Inżynierowa i powtórzyła: - bardzo inteligentny.

- Mieszkanie mają ładne, tylko wilgoć - dodała Blokowa - wilgoć i jeszcze raz wilgoć, a pani męża coś nie widzę? - zaszturmowała znienacka.

- Mąż wyjechał do Czechosłowacji - powiedziała bezbarwnie Inżynierowa, nie podnosząc oczu - na trzy lata.

- Na tak długo panią samą z dziećmi zostawił?

- Taka praca. - Inżynierowa trzymała się dzielnie, łykając łzy.

Popołudniowe słońce nie docierało już do tej części podwórka, gdzie obok kupy węgla stały rozmawiające kobiety.

Bryły zmatowiały, straciły blask i złote błyski, tak samo jak oczy Inżynierowej. Popatrzyła w okno swojej kuchni na dwie małe dziewczynki siedzące na parapecie, kolorowe, z olbrzymimi kokardami we włosach i w jaskrawych fartuszkach, jak dwa uwięzione ptaki.

- Trudno będzie pani wytrzymać - zauważyła Blokowa na odchodnym.

- W Czechosłowacji - zamruczała do siebie. - Jak tak dalej pójdzie, to mój też niedługo wyląduje w Czechosłowacji, na to się zanosi.

Idąc na górę, natknęła się na listonoszkę.

- Musi pani podpisać - listonoszka postawiła ciężką torbę na ziemi, a papier przyłożyła do ściany - jest polecony.

- Niech mi pani powie, kochana, skąd to jest? - przymilała się Blokowa.

Listonoszka odgięła spinacz i powiedziała coś do ucha Blokowej.

- Czego Tam mogą od niego chcieć, może lepiej nie odbierać? – spytała zaniepokojona.
- Może lepiej, na wypadek wszelki elektryczne szelki.
- Listonoszka zaśmiała się, zamocowała spinacz i schowała list z powrotem.
- Morowa z pani kobita.

Uchyliły się drzwi i głowa jakiejś staruszki powiedziała tajemniczo:
- Pani Blokowa, pani wejdzie do mnie na chwilę, coś pokażę.

Listonoszka położyła palec na ustach i zaczęła schodzić.
- Mama, już zjadłam, czy mogę wyjść na podwórko?
- Dziewczynka około czterech lat stała w otwartych drzwiach gotowa do wyjścia.
- Idź, Kaśińka, idź, ale pamiętaj, tylko po podwórku, na ulicę nie wolno – miękko pouczyła ją Blokowa.

Kaśińka zbiegła jak na skrzydłach, słysząc z podwórka głosy zebranych już dzieci: w Żydala, miało być dalej w Żydala.
- Ale nie ma Marka – powiedziała Szprycha.

Zeskoczyła z trzepaka i podeszła do Eli i Córki Stróżki. Poszeptały chwilę i Szprycha oznajmiła:
- A teraz, proszę państwa, odbędzie się koncert, na którym wystąpi słynny w całym świecie chór Trzy Siostry.
- Ukłoniły się wszystkie trzy i zaczęły śpiewać:
- Bo jestem ANdzia MAła ANdziulKA tak POpularNIE NAzywają mnie, mam OCZKA CZARne trochę FIglarne i dalej wszySTKO co się ZWIE. BIje MAma BIje MAma BIje mnie ŻE JA CHŁOpców ŻE JA CHŁOpców CAŁUję NIE wiesz MAmo NIE wiesz MAmo JAK to ŹLE WSZYstkie PANny CHŁOpców MAją a JA NIE...

I zaraz przeszły w następną melodię.

– MA-RY-siu BU-zi DAJ MA-my się nie PY-taj bo MA-ma tak robiła gdy je-szcze MŁO-dą BY-ła.

Rozległy się oklaski.

– A teraz wszyscy odśpiewamy znaną pieśń pod tytułem „Zdobywczym krokiem" – powiedziała Szprycha i ukłoniła się przesadnie nisko.

– Czwórkami stań – wydał komendę Pająk.

Stanąwszy na baczność, odliczyli raz dwa, raz dwa, raz dwa.

Ruszyli czwórkami jak prawdziwa armia, wyrzucając nogi do przodu, na wzór widywanych na filmach wojsk.

Zdobywczym krokiem idziemy do łóżka spać,
Niosąc do góry poduszkę i koc,
My pokażemy, jak dzieci umieją spać,
A ponad nami jak sztandar płynie sen.

Oddział maszerował podwórkiem, wybijając takt piętami.

– BIE-giem marsz – zakomenderował Pająk.

Zaczęły się regularne wyścigi.

– To niesprawiedliwe, ja nie dostałam forów – piszczała Kaśińka.

I znów marsz z pieśnią: „My pokażemy, jak dzieci..."

Staruszka na pierwszym piętrze wyjrzała na balkon i powiedziała w głąb mieszkania do swej jeszcze starszej siostry:

– Tak głośno śpiewają, człowieku, jak dzieci tak śpiewają, to ktoś tu niedługo umrze, ja ci to mówię, człowieku.

– Nawłócz mi igłę, bo ja nic nie widzę – poprosiła tamta, zbliżając się do siostry.

– Takie małe to uszko, człowieku, to nie dla mnie.

Usiłowała zawołać którąś z dziewczynek, ale jej głos zanikał, zanim dotarł na dół. Czekała na przerwę w śpiewie.

– Człowieku na balkonie. – Spostrzegł ją Pająk.

Dzieci popatrzyły w górę. Wykonała przywołujący ruch ręki. Córka Stróżki oderwała się od grupy i pobiegła na górę. Na podwórku pojawił się Mareczek.

– W Żydala! W Żydala! – wołały dzieci.

Siadły na schodach, zgrzane i zmęczone po marszu i śpiewie. Kamień już ostygł, ciepło promieniuje z murów.

Niezmordowany Żydala z Paryżala, Wieczny Tułacz, znów dźwiga swój worek.

– Co pan ma do sprzedala?

– Jajko.

– Przepraszam, a jakie jest pańskie nazwisko?

– Jajko.

– A więc witam pana, panie Jajko, moje uszanowanie, panie Jajko... a jak nazwisko żony?

– Jajko.

– Witam żonę pana Jajko, panią Jajko, całuję rączki.

– Zamiata nieistniejącym kapeluszem podwórko, całuje swoją rękę, robi, co może, ale Włodas patrzy na niego bez uśmiechu. Jest znany ze swojej powagi, nigdy nie można go rozśmieszyć. Także i teraz jego zacięte usta nawet nie drgnęły. Nastrój rzednie. Córka Stróżki przysiada się dyskretnie. Policzek ma wzdęty cukierkiem.

– Jakiego dostałaś? – pyta Mareczek.

– Irysa.

Na podwórko wychodzi Mira z małym braciszkiem. Oboje w białych podkolanówkach. Ona w granatowej plisowanej spódniczce, a on w szerokich spodniach do kolan. Mira patrzy w kierunku bawiących się dzieci. Nie zbliża się jednak. Dwie sztywne czerwone kokardy naciągają boleśnie włosy.

– Gdzie idziesz, Mirka? – woła Szprycha.

– Idziemy precz – mówi Mira, układając usta w tajemniczy dzióbek.

Zataczając się, wraca z pracy Pijus. Pod pachą trzyma teczkę związaną sznurkiem. Jedna poła marynarki wydyma się lekko kształtem butelki. Rozmazane rysy twarzy mają wyraz cierpienia lub mdłości.

– Dzień dobry – mówią chórem dzieci.

– Dobry – odpowiada przytomnie.

– Dobrze, że przyszedł na własnych nogach – mówi Ela.

Mira podchodzi bliżej, a jej brat, korzystając z chwili nieuwagi, podbiega do kupy węgla i ciągnie jedną bryłkę.

– Idziemy precz z mamą i z babcią. – Mira odwrócona tyłem nie widzi, jak on się męczy, aż sapie z wysiłku, wreszcie rezygnuje z tej wielkiej, leżącej na spodzie, wyszukuje dwie mniejsze i niesie w kierunku siostry. Jedna mu wypada, kopie ją więc czarnym skórzanym butem, trochę dużym, bo spada, mimo że jest zasznurowany; szóste dziecko, najmniejsze w rodzinie, więc nosi to, czego starsze nie wydarły. Czarną ręką wkłada buty, poprawia opadającą skarpetkę, druga bryłka toczy się za pierwszą...

– Ty mały gnoju! – krzyczy Mira, biegnąc ku niemu.

Dzieci pomagają jej unieść klapę, pod nią znajduje się hydrant służący głównie do polewania podwórka z zamontowanego węża gumowego, który leży teraz zwinięty i grzeje swoje cielsko, czekając, kiedy znów ręka dozorczyni puści przez niego lodowaty strumień wyprężony i ożywiający treścią pustą formę. Wtedy zaczyna się jego

prawdziwe życie. Zwłaszcza w upalne dni, kiedy zmywa podwórko strumieniem rozpryskującym się w fontannę drobnych kropel, powstałą za pomocą kwadratowego kciuka Stróżki, i goni dzieci biegające po trawniku, niby uciekające przed jego chłodem, a Stróżka śmieje się piskliwym, miłym dla ucha śmiechem dziecka.

Myją ręce Małemu Gnojowi, zakładają mu drugi but, przewracając podkolanówkę na lewą stronę, żeby nie było widać śladów pięciu czarnych paluchów.

– Alebyś dostał, jakby matka zobaczyła...

– Ty byś dostała też – mówi Mały Gnój ze znajomością rzeczy.

– Mira, do domu! – Okrzyk matki brzmi jak komenda i urywa się tak samo nagle, jak się zaczął, widać przy szóstce dzieci nie można sobie pozwolić na wydłużone śpiewne wołanie, głosu musi starczyć dla wszystkich.

W zamieszaniu z powodu Miry i Małego Gnoja utknął Żydala. Pająk z Kajem i Włodasem wymieniają łożyska w lalwach sporządzonych z drzewa. Lalwa to są dwie deszczułki: jedna stanowi podstawę, a druga ustawiona względem niej pod kątem osiemdziesięciu stopni zakończona jest prymitywną kierownicą. Do podstawy przymocowane są łożyska kulkowe wyżebrane od starszych braci pracujących w fabrykach albo podarowane przez Wuję z naprzeciwka. Lalwa jeździ po kamiennej części podwórka z hukiem odrzutowca.

Pająk zgięty prawie w kąt prosty do zbyt niskiej kierownicy odpycha się chudą nogą i zasuwa w zwielokrotnionym przez zamknięte mury podwórka hałasie. Za nim ruszają dwaj następni.

Dziewczynki zatykają uszy. Nikt tego długo nie wytrzyma, więc trzeba osiągnąć maksymalną szybkość, zanim któraś z kobiet otworzy okno i zacznie krzyczeć.

– Niech sobie idą na asfalt – mówi Szprycha do Eli. Jednak matki niechętnie zezwalają na wychodzenie na ulicę. Może się przecież zdarzyć, że przejedzie samochód; w zeszłym roku grało się jeszcze na jezdni w dwa ognie, bo najwyżej co pół godziny przemknęło jakieś DeKaWu, Dykta Klej Woda, mówiły dzieci, ale teraz jeżdżą traktory, odkąd po drugiej stronie Jazończyk otworzył warsztat naprawczy, ciekawe swoją drogą, jak dostał koncesję, mówią rodzice, a dzieci stają w bramie otoczonego siatką i żywopłotem placu i pytają: czy możemy przyjść na smrodyle? Możecie, ale jak się potrujecie, żeby nie było pretensji; nie wolno jeść tego świństwa, mówią matki o czarnych, spuchniętych jagodach, z których po przerwaniu skórki wycieka lepka słodko-cierpka krew, kwitną tak ładnie, pachną miodowo, ależ to można jeść, mówi do matki Kaśińki Stara Pani Człowieku, to jest smorodina, to tu nieznane, to z naszych terenów, to i sok dobry, i warienje do herbaty, wyciska się zwyczajnie przez płótno, skóra zostaje, to wspaniałe... U nas się tego nigdy nie jadło, z wyższością odpowiada Blokowa.

– Przestańcie jeździć, bo można zwariować – krzyczy żona Cholewkarza. W małym pomieszczeniu przy jej mieszkaniu stoi hulajnoga na gumowych kołach ze szprychami, jeździ miękko i cichutko, została po jednej córce, która umarła młodo, ale nikt nie chce jej kupić, może za drogo, a może boją się ludzie, że nieszczęście do niej przywiązane, zresztą, kogo stać na taki zbytek.

– Mama! – woła Pająk w stronę okien.

– Co jest? – Głowa matki pojawia się jak w teatrze kukiełkowym.

– Mogę iść do Wui?

– Ale nie po jezdni!

Kwitnie żółto nieznana tutaj smorodina, człowieku, pani powącha, jak pachnie jej kwiat, to przecież sam miód, gdzie to trucizna, więc dzieci jedzą owoce, a Jazończyk znika w biurze.

Z szopy, w której znajduje się warsztat, wychodzi Wuja, zwany tak przez wszystkie dzieci. Jest niski i krępy, w drelichowym kombinezonie usmarowanym gęstymi olejami, szeroko rozstawia krótkie i krzywe nogi.

– Wuja, są gwoździe? – pyta po cichu Pająk.

– Jak wyjdzie dyrektor – mówi Wuja, nie zatrzymując się ani na chwilę.

Uruchamia silnik traktora, słychać równomierne prt prt prt prt prt bez końca z niezmąconym spokojem prt prt prt prt prt prt prt, zaciął się i od nowa prt prt prt prt z jeszcze większym przekonaniem prt prt prt prt prt wypuszcza kłęby niebieskich jak letnie niebo spalin, spowija wszystko dookoła smrodem nadchodzącej cywilizacji, cudowny koń, wejdzie niedługo na świeżą błoń, a na razie siedzi na nim uśmiechnięty młody chłopak, w zsuniętej z fantazją na tył głowy czapce; skończył właśnie kurs traktorzystów i wabi teraz innych radosnym uśmiechem z wysokości małego siodełka, na którym siedzi się bardzo przyjemnie, kiedy wychodzi Dyrektor Jazończyk mający jedynego pracownika – Wuję, dobrego Wuję pozwalającego posiedzieć chwilę nawet przy zapalonym silniku...

– Skończę szkołę i na traktor – mówi Pająk. – Matka by chciała mieć lekarza, ale to nie dla mnie.

– A ja ci mówię, ucz się, bo przyjdą inne czasy. – Wuja stoi przy wyciszonym traktorze, oparty o wielkie koło

Stomil, na wprost plakatu przyklejonego do drzwi szopy, kurs traktorzystów, ukończona szkoła podstawowa i szesnasty rok życia nieprzekroczony... zapewnione, uśmiech siedzącego na siodełku chłopaka gwarantuje spełnienie wszystkich obietnic, Stomil, wielkie opony leżą na placu, można na nich przysiąść, trzeba coraz więcej opon, coraz lepszych, więcej ludzi do fabryk, codziennie wytaczają setki gumowych kół, układają je przed fabryką, sto procent normy, sto dwadzieścia, sto pięćdziesiąt, pada rekord, trzysta procent, stop, zdjęcie, uśmiech, szeroki uśmiech zadowolenia: „Nasza trójka wykonała trzysta procent normy, kto podejmie z nami współzawodnictwo?", pyta tytuł złożony z wielkich czerwonych liter na pierwszej stronie robotniczego dziennika. Niesie ją pod pachą Krawiec, ojciec Szprychy, SZA, TRZY, MY krzyczą litery, które nie schowały się w załamaniach złożonej gazety.

Wuja podchodzi do płotu.

– Co tam u kapitalistów? – pyta żartobliwie.

– Wszystko przy starym – mówi Krawiec.

Wchodzi na podwórko, na którym Stróżka podmiata wyrzucone przez kogoś z góry śmieci.

– Trzeci raz dziś zamiatam, ci zza Buga to już nie mają sumienia – skarży się Krawcowi.

– No to wykonała pani trzysta procent normy. – Śmieje się.

– Ja już świat dookoła zamiotłam, jakby policzyć.

– Ja też mogę coś na trzysta procent zrobić, żeby pani tylko chciała – dodaje ciszej Krawiec, żeby dzieci nie słyszały, a ona już nie może się złościć, oparła się o miotłę i śmieje się jeszcze długo, podczas gdy on wymienia parę zdań z Panią Człowieku.

- ...powiem panu, że ja nie mam zdrowia na te ich normy, przecież to trzeba obliczyć, ile człowiek może zrobić, może ja za stara jestem, no nie wiem, może co innego tam, tam tak, ale tu, tu nie, to się musi wywrócić, widział to świat i do czego to ma doprowadzić, tylko do rozlewu krwi braterskiej, ja już tego nie doczekam, ale mówię to panu, do rozlewu krwi braterskiej przyjdzie...

Szprycha stojąca przy schodach słyszy wszystko, zajęta i niezajęta lalką, jedyna na całym podwórku amerykańska lalka, nikt takiej nigdy nie widział, ma prawdziwe włosy spięte spineczkami, można ją czesać, ubierać, ma sukienki, kapelusze, nawet buty i skarpetki, ma też koronkowe majteczki, dzieci nie mogły się nadziwić, kiedy ją pierwszy raz wyniosła na podwórko, matka nie pozwalała, ale ojciec powiedział, niech weźmie, kupiłem, a nie ukradłem, ale będzie w oczy kłuć, wcale nie, powiedziała Szprycha, u nas na podwórku nikt nie jest taki...

- Musiała kosztować majątek - mówi Blokowa. I po chwili znienacka: - A skąd pan w ogóle wziął amerykańską lalkę?

- Klientka przyniosła z paczki.

Dziewczynka przechyla lalkę, która zamyka i otwiera oczy. Przypomina sobie pytanie Blokowej nakładające się na groźne słowa Starej Pani Człowieku, przyjdzie do rozlewu krwi braterskiej, nie chcą ulecieć te słowa, widzi je nawet w otwartych, jakby przerażonych oczach amerykańskiej lalki, boi się; boi się nawet żołądek, mdłości podchodzą do gardła... rozlew krwi braterskiej, ciągle się trzeba czegoś bać, tak samo jak wtedy, przyszła do ojca madame Łi, stara nauczycielka francuskiego, pochyleni ku sobie szeptali jak para zakochanych, ale głośno, tak jak szepczą starzy ludzie, bo madame Łi już niedosłyszy, szu, szu, szu, li, li, pan mnie rozumie, w tej sytuacji musi dojść do wojny, e li, nie ma innego wyjścia, a naród taki wykrwawiony, ale co to wszystko znaczy, przy wielkiej polityce, pan mnie rozumie... Szprycha wybiegła do łazienki, uklękła, objęła zimny klozet i drżąc, wyrzygała swój strach, bała się wtedy po raz pierwszy w życiu, pamięta to ciągle, a potem nic się nie stało, nie było żadnej wojny, starzy ludzie nie zawsze wszystko wiedzą, lubią mówić o rzeczach strasznych.

Po co ta Blokowa tak o wszystko pyta, powiedziała matka i znów niepokój o zamykającą oczy lalkę ogarnia dziewczynkę, nikt takiej nie ma na całym podwórku, przyszła w paczce z Ameryki, z tej samej, o której uczyli się w szkole, o tym, jak tam biją Murzynów, nikt jeszcze nie widział prawdziwego Murzyna, tylko na rysunku, z kołami w uszach i wielkimi ustami jak dwie czerwone parówki, albo takiego Murzynka, jak ma Mira, normalna lalka, tyle że czarna i ma wystraszone przewrócone oczy, na akademii z okazji Dnia Dziecka Podrzutka przemalowali na brązowo pastą do butów, usta krwistą szminką rozmazane od ucha do ucha i wielkie kolczyki zrobione ze złotek od czekolady, wystąpił razem z Włodasem, który odgrywał Chińczyka w kimonowym haftowanym szlafroku matki i słomkowym płaskim abażurku od lampy, z przypiętym z tyłu głowy warkoczem z czarnego sznurka przyciętym równo jak ogon konia i z namalowanymi na ukos oczami, a z nimi biała dziewczynka z twarzą upudrowaną mąką: „Po szerokim pięknym świecie idą dzieci, idą dzieci, krok za krokiem, dziecko z dzieckiem, polskie, czeskie i radzieckie...", potem ukłonił się Murzynek: „Murzynek Bambo" przez Juliana Tuwima: „Murzynek Bambo w Afryce mieszka, czarną ma skórę ten nasz koleżka", i oklaski, bo Chińczyk zrobił minę i zaczął za wcześnie śpiewać: „Jestem mały Chińczyk z Chin, mam na imię Czyn-ka-lin, w papierowej mieszkam chacie, w pracy już pomagam tacie, choć mam tylko siedem lat, zrywam herbaciany kwiat...", a po każdej zwrotce pan od wuefu uderzał parę razy w wysokie klawisze i to brzmiało zupełnie jak prawdziwa chińska muzyka, a potem Pająk, który jest bardzo dobry z polskiego, mówił z pamięci wiersz: „Mister Twister były minister, mister Twister bogacz od lat, milioner fabrykant właściciel dzienników zapragnął się wybrać w szeroki świat", i tam dalej jest z rana do kuka, to się pisze Cooka, a pani kazała czytać kuka, więc on się ze zdenerwowania pomylił, no bo jednak cała szkoła siedziała w rzędach, a na przedzie nawet jeden pułkownik w mundurze i wszyscy nauczyciele, i przodownik pracy udekorowany medalami, i cywile, i żołnierze, a on musiał mówić ten wiersz i powiedział: z rana do, czyta się kuka, bo tak miał zapisane na karteczce, czyta się kuka, bo to trudny wiersz, dużo amerykańskich słów, na całe szczęście nikt tego nie zauważył, tylko pani od polskiego.

Ta lalka ma oczy jak prawdziwe, otwiera je i zamyka, ciekawie rozgląda się dookoła, może to szpieg amerykański, śmieje się Pająk, wrócił od Wui z torebką pełną gwoździ, jest więc w dobrym humorze.

– Czego się tak dziwisz? – mówi do lalki, patrząc prosto w jej piękne, niebiesko żyłkowane, szklane oczy.

– TO jest AMEryKA, to słynne U-ES-AA – dzieci podchwytują melodię podwórkowego podziemia.

– Dostają ludzie paczki z Ameryki – rozmarzyła się Blokowa.

– A co ci to, człowieku, przeszkadza – mówi Stara Pani Człowieku. – Mało to z Unry dostała?

Pająk znów się zamyślił nad widzianym niedawno plakatem traktorzysty. Ciągle podkłada swoją długą poważną twarz w miejsce szerokiej, uśmiechniętej wyrysowanej na plakacie. Nie widzi Pijusa, który wyszedł z dwoma olbrzymimi wiadrami cynowymi, chyba trochę wytrzeźwiał, bo idzie zupełnie prosto, a może łatwiej mu utrzymać równowagę dzięki wiadrom, jedno z lewej, drugie z prawej, będzie teraz odbywał drogę od kupy węgla do swej piwnicy aż do samego wieczora, ładując i wysypując węgiel do swej piwnicy aż do samego wieczora, ładując i wysypując, i tak w kółko, z początku wcale nie ubywa, ale po godzinie już widać różnicę, wreszcie do końca bliżej niż dalej...

Pająk nie słyszy nawet wrzeszczących dzieci: Policaje, Policaje!!!

Biegną, tupocząc, policaje z czarnymi gwizdkami w ustach, co to jest w takim gwizdku, co w nim tak gwiżdże, czy to możliwe, człowieku, żeby zwykły groszek mógł wydawać takie przeraźliwe dźwięki, czy te dzieci się dzisiaj powściekały, przestańcie, na miłość boską, przestańcie.

Grupa złodziei rozprasza się po klatkach schodowych, najgorzej dać się zapędzić na strych, bo nie ma już górą przejścia, robią tam dla kogoś mieszkanie z części strychu, policaje tupocą po schodach, są coraz bliżej, to przecież tylko zabawa, serce jednak skacze, pewnie ze zmęczenia, już szóste piętro, będziemy go mieli, nie ucieknie ptaszek, teraz cicho, dwóch zostaje na czatach przed drzwiami, strych otwarty, bo ktoś właśnie będzie rozwieszał bieliznę, to matka Głupiego Młota, szeroka i płaska jak flądra, ma ręce do łokcia ugotowane we wrzących mydlinach.

- Nie latać mi tu - mówi.
- Policaje mnie gonią. - Zaszczuty Zyguś szuka schro-
nienia...
Matka Głupiego Młota wpycha go pod stertę brudnej
bielizny, zatęchłych koszul i halek pachnących słodko
i ostro.
Policaje stają w drzwiach.
- Won mi stąd. - Grubą ręką o skórze sfalowanej
przez wodę i proszki do prania wypycha ich po kolei.
- On musi tam być - mówi jeden policaj do drugie-
go.
- Spokojna twoja czaszka, dostaniemy go.
Siadają na parapecie okna klatki schodowej na szós-
tym piętrze i patrzą na podwórze. Z góry nie widać
Pijusa uginającego się pod ciężarem pełnych wiader.
Za śmietnikiem coś się poruszyło. Głupi Młot się tam
schował.
Policaj Najdus otwiera lufcik, w którym mieści się
tylko głowa.
- Głupi Młot jest za śmietnikiem! - woła.
Przeraźliwy gwizd. Policaje z dołu sprawnym wężem
osaczają kubły na śmieci. Głupi Młot spostrzegł, że już
nie ucieknie, założył więc splecione dłonie na głowę i czeka na pierwsze razy.
- Głupi Młot, wyłaź, liczymy do trzech, poddaj się
- mówi Najdus, który zostawił ptaszka na górze i zleciał
na dół, żeby uczestniczyć w ujęciu Głupiego Młota.
- Hendeho! - wrzeszczą policaje.
Głupi Młot wstaje powoli, tym razem mu się upiekło,
bo w stronę śmietników zmierza z małym wiaderkiem,
elegancko zakrytym gazetą, Przedwojenny Dyrektor
Tramwajów. Siwe faliste włosy zaczesane pod górę pasują

kolorem do jasnoszarego ubrania i srebrzystego krawata.

– Jakie ma okrągłe plecy – mówi stojąca w drzwiach matka Szprychy, podając jej kawałek chleba z masłem, na którym leżą dwa cienkie plasterki boczku.

– Żeby ci chleb nie spadł na ziemię, bo to grzech – mówi, patrząc przez cały czas na pochylone plecy Przedwojennego Dyrektora Tramwajów.

Policaje przestają gwizdać i szurają z szacunkiem nogami, dosuwają lewą nogę do prawej, stukając z fasonem butem o but.

Najdus usłużnie podnosi przykrywę śmietnika. Z kubła wyskakuje rudy prążkowany kot zwany przez dzieci Fałszywym Judaszem.

– Że się też ten piernik nie udusi – dziwi się Pijus przemierzający wciąż syzyfową drogę z dwoma wiadrami.

Podwórko wchłania w swą przeźroczystą szarość Przedwojennego Dyrektora Tramwajów. Mury wypromieniowują przechowywane w sobie słońce, ale zielony środek podwórka łączy się przez siatkę z przyległym ogrodem; walczy z ciepłem, wysyłając przeciwko niemu wilgotny chłód ziemi.

– Pani Doniuuu! – Kobieta, która przed południem daremnie przywoływała panią Donię, znów stoi przed jej oknem z zadartą głową, w tym samym stroju, jakby się w ogóle stąd nie ruszała. W oknie pokoju ukazuje się piąstkowata twarz staruszki, a zaraz za nią uróżowiona wielka twarz pani Doni. Jej farbowane włosy nawinięte są na kilka papierowych papilotów; przy białym kolorze uwydatnia się ich zdecydowanie fioletowy odcień. Jak kopiowy ołówek, mówią dzieci.

Pani Donia, zginając wskazujący palec, przywołuje do siebie elegantkę w woalce, która nadspodziewanie szybko, choć drobnymi kroczkami, opuszcza podwórko, żeby jak najszybciej spotkać się z panią Donią, do której musi mieć niezwykle ważną sprawę, skoro fatygowała się aż dwa razy w jednym dniu.

Wróble na akacji przy trzepaku świergolą ostro i kłótliwie. Gołębie rozlokowały się pod samym dachem. Przemieszczają się co chwila przy zabawie w komórki do wynajęcia, słychać mechaniczne, drewniane kołatanie ich skrzydeł. Fałszywy Judasz zerka w kierunku akacji, zbliża się do niej, stawiając naprzemiennie swoje cztery łapy; nie śpieszy się, ale też nie idzie powoli, naprzemienność ruchów jest tak płynna, że trudno ją zauważyć.

Dzieci skupiły się jak wróble, ale po całym dniu wrzasków są od nich cichsze. Siedzą na niskich stołeczkach, po dwoje na jednym, niektóre po prostu przykucnęły, a stoi tylko oparty o mur Pająk. Słychać szepty, urywki rozmów, ciche piosenki, jutro ci przyniosę, mówi ktoś, ale przysięgnij, że nikomu nie powiesz, jak Boga kocham, bo jakby się matka dowiedziała, Najdus opowiada film Głupiemu Młotowi: wtedy Kotowski nóżki na stół i da dadada da dadadadada...

– Jak to w trzech osobach? – Elżuchę od Ubowca męczy problem Trójcy Świętej.

– No, normalnie, Bóg Ojciec, Syn Boży i Duch Święty...

– Syn i Ojciec to jeszcze, ale ten Duch to co robi?

– On jest wszędzie, bo jest niewidzialny.

– A Bóg i Syn są widzialni?

– Też nie, ale on inaczej, zresztą nie wiem – denerwuje się Córka Stróżki.

Pająk podnosi kawałek cegły i rysuje nim na kamiennej płycie podwórka trójkąt równoramienny. W środek wpisuje koło, w którego centrum znajduje się kropka. Od boków trójkąta rozchodzą się na zewnątrz promienie, jak rzęsy otaczające trójkątne oko.

– To jest trójkątne oko Ducha Świętego, symbol Opatrzności, oko geometryczne – mówi.

– Zmaż to oko, bo będzie wszystko widziało – prosi go Kaśińka.

– Ty idź lepiej do domu, bo cię matka po kątach szuka – odpowiada zamyślony Pająk.

Ciemnieją dziury otwartych okien. Nikt jeszcze nie zapala światła. Słychać z góry głosy matek: do domu, dooo dooomu, do domuuu, ale trudno się ruszyć dzieciom siedzącym blisko siebie i w skupieniu analizującym miniony dzień. Strach wraca z przypomnieniem słów Starej Pani Człowieku, do rozlewu krwi braterskiej, niepokój zrodzony z pytania Blokowej, skąd w ogóle amerykańska lalka? Lalka śpi otulona małym kocem, śpi spokojnie, nie boi się niczego, chociaż jej oczy są takie żywe, a ta biedna Elżunia nie pójdzie do komunii świętej, może pójść do piekła, a to by była niesprawiedliwość, to przecież nie jest jej wina, to jej ojciec zabrania, jej ojciec groźnie wyglądający w tym swoim mundurze, który nie jest wcale prawdziwym mundurem, ten jej ojciec też nikomu nic złego nie robi, jemu się podobno wydaje, że jest taki ważny, wszyscy mówią, że jest zupełnie nieszkodliwy, odesłali go na rentę, podobno zanim mu się to stało, to był ważny.

Szprycha stara się myśleć teraz o Żydalu, śmiesznym człowieku z Paryżala, który potrafi wszystko kupić i sprzedać i zawsze na końcu pyta: „A co pani ma w dupie?", i to jest takie śmieszne, jak ktoś ma na przykład do sprzedania krowę, ale nie może się teraz śmiać, nie może się dać rozśmieszyć, trzeba pójść do domu, bo matka będzie zła, ojciec lepiej się czuje, to po co go denerwować, dawno nie było żadnej rewizji, niech pan im nie wierzy, przyczaili się tylko, powiedział ostatnio Cholewkarz do ojca, mnie też domiar wlepili. Plecy drżą tak samo jak wypukłe czerwone wargi, zagryza je mocno, żeby łzy nie spłynęły, bo tak jest, jak się przygryza, ale naprawdę trzeba bardzo mocno, to łzy nie płyną, tylko zatrzymują się w oku i wtedy oko wygląda jak szklane, jak niebieskie oko jej lalki, bo przecież córka musi być podobna do matki, chociaż trochę, tylko że lalka ma za małe usta i za blade. Widać w nich porcelanowe zęby i kawałek czerwonego języka; wkładała tam mały palec, ledwo dał się wcisnąć, żeby zobaczyć, z czego jest zrobiony ten język, chyba zamszowy, strach przeszedł, jak się o tym pomyślało, wargi są teraz spieczone od przygryzania, pewnie takie jak w piosence, którą śpiewają czasami na podwórku: „Namiętne usta twe o pocałunek proszę, szaleństwem wabią mnie i kuszą mnie rozkoszą, świat cały hen za mgłą, w te noce my we dwoje, nienasycone są gorące usta twoje", nie wiadomo, czy to jest grzech śpiewać taką piosenkę, czy nie, chyba nie, bo tam nic takiego nie ma, ani brzydkich słów, ani nic, ale jak raz to śpiewali, a później bawili się w ojca i matkę, Pająk był ojcem, a Szprycha matką, to wtedy jak wychodził rano do pracy, to pocałował ją w usta, z tego się nie spowiadała, bo to przecież tylko tak w zabawie, zresztą wtedy akurat nie było Miry, jakby była, to ona byłaby na pewno żoną; pewnie, jest najstarsza z dziewczynek i najgrubsza, ma już nawet piersi, widać je przez bluzkę, a kiedy byli na pływalni, wkładała na nie prawdziwy mały biustonosz i Mareczek ją uszczypnął, i się obraziła, bo miała o co; Szprycha siedzi obok Miry na stołku i czuje jej białe pulchne ciepło, jak ktoś ma tyle słoniny, to jest ciepły, powiedział kiedyś Najdus, a Szprycha sobie to dobrze zapamiętała, bo sama jest chuda jak szprycha, to jest prawda, i zupełnie płaska, z jednej strony coś jej rośnie, ale to jeszcze nic, w każdym razie nie można tego zauważyć, ale można wyczuć, pozwoliła Eli pomacać, to Ela powiedziała, że jej rośnie pierś, ale to będzie długo trwało...

– Doooo domuuuu! – Poznaje głos matki, jest już zniecierpliwiony, bo to trzecie wołanie, na trzecie trzeba pójść, za czwarte można oberwać.

– Nie puszczę cię. – Pająk łapie ją za ręce, wykręca do tyłu i prowadzi jak więźnia w kierunku drzwi.

– Muszę lecieć – mówi do Pająka – naprawdę, bo dostanę wycisk.

– To dostaniesz. – Jednak puszcza ją. – Jutro od rana w palaja.

– Może przyjdę – mówi, nie odwracając się, i zamyka cicho drzwi.

Już wszyscy się rozbiegli, Pająk jest najstarszy, może być najdłużej na podwórku, jak długo chce, bo i tak w domu jest tylko matka i nic mu nie zrobi; ojciec nie żyje, Pająk słabo go pamięta, wcale go nie pamięta, tyle co ze zdjęcia, ojciec miał odznaczenie bojowe, pośmiertnie nadany krzyż, jeden krzyż nadany, a drugi na cmentarzu, nie wiadomo nawet gdzie, pod Lenino jako ochotnik, nie wiadomo, na Wszystkich Świętych chodzą zawsze na Cytadelę, ilu tam leży tych nieznanych ruskich, naród liczny, to dużo musiało zginąć, Wuja tak mówił, jak rozmawiał z Panią Człowieku, jutro od rana w palaja, musi wykorzystać to, że jeszcze przychodzi na podwórze, bo jak zacznie chodzić do technikum, to nie ma mowy, nie będzie się z dziećmi bawił w Żydala, nie będzie się ośmieszać, może jutro Wuja będzie miał dla niego łożyska, jak Jazończyk wyjdzie na obiad, to wtedy się zapyta, czy ma, i jak dostanie, to zrobi lałwę na czterech łożyskach, jakiej świat nie widział, będzie jeździła jak złoto.

ˋ Przez szparę w niedosłoniętych firankach okna sutereny widzi rodzinę Pijusa przy kolacji, na stole obitym niebieską ceratą w białą kratkę, taką samą jak u nich w domu i w domu Głupiego Młota i Najdusa, i Kaja, bo w zeszłym miesiącu taka się pokazała i wszyscy kupili, tylko Stara Pani Człowieku, ja nie umiem jeść na ceracie, człowieku, ona nie i Przedwojenny Dyrektor Tramwajów też na pewno nie, w krawacie i w ubraniu śmieci wyrzuca, to lepsza wiara, na ceratą obitym stole w domu Pijusa stoją kubki z herbatą i leży chleb ze smalcem, dobry jest taki domowy smalec z cebulką, Pająk przełyka ślinę, matka też mu zrobiła, trzeba lecieć do domu, trochę pomóc przy kuchni, bo matka pewno szyje fartuchy dla tej starej Baby-Szczura, która przychodzi co sobota odebrać stos zeszytych fartuchów z wyhaftowanymi na przodzie trzema kwiatami, niebieskim, różowym i żółtym, na zielonych liściach, matka haftuje ich setki, a każdy jest inny, ma inne liście albo inne płatki, ciekawe, ile już wyhaftowała dla tej Szczurzycy, co przychodzi zawsze w szarym, wybrandzlowanym kitlu i filcowych męskich butach, udaje biedną, ma na rynku stragan, na pewno jest bogata, udaje, żeby jej nie wlepili domiaru, jaka dziś zgoda u tego Pijusa, może jakie święto, zdążył wytrzeźwieć, jak się narobił przy tym węglu, nanosił jak wół, to zaraz wytrzeźwiał, może lepiej wcale nie mieć ojca, niż mieć takiego

Pijusa, chociaż to nie wiadomo, zresztą jego ojciec był inny, wódki do ust nie wziął, tak przynajmniej mówi matka, ale kobiety często przesadzają, jak już mąż nie żyje, to można każdemu dziecko w brzuch wmówić; wszyscy piją i to jest normalne, tylko że nie tak od razu jak świnia, Marych też od czasu do czasu da sobie w gaz, Wuja pije prawie codziennie, a nie jest pijany...

Pająk stanął przed drzwiami mieszkania.

Na podwórku panowała już ciemność, niewiele blasku dawały zapalone w domach czterdziestki; akcja oszczędzania światła pozwalała spokojnie spać wróblom na akacji, a Fałszywemu Judaszowi nadmierna iluminacja nie przeszkadzała w brutalnym traktowaniu przypadkowej partnerki, która dziś w nocy po raz pierwszy przyszła na podwórko. Była to jeszcze bardzo młoda, mała, drobnokoścista czarna kotka, trudno, czarna nie będzie miała łatwego życia, jej sprawa, nieraz dostanie kamieniem, jak przebiegnie komuś drogę, będą spluwać przez ramię na jej widok. Fałszywy Judasz też nie ma lekko, rudemu też niedobrze, najlepiej to mają takie małe białe kotki, na które wszyscy wołają ćićićićićići śiii i nawet dadzą im czasem mleka w starej zakrętce od słoja, ta mała czarna kotka strasznie krzyczy, pewnie zaraz z któregoś okna rzucą butelką, żeby spłoszyć koty, ale nawet jeżeli ona się przerazi, to i tak zaraz znów ją dopadnie, takie są te kotki, białe rude czarne, wszystkie do tego jednakowe, przytrzymał ostrymi zębami jej ucho, załkała, zamiauczała tak, że odpowiedziały jej inne kocury, te z sąsiednich piwnic, tam polują na myszy, póki są myszy, wszystko jest w porządku, muszą być i koty, wczoraj o świcie spadł z drzewa mały wróbel, jak dojrzały owoc pacnął o ziemię, ani chodzić, ani fruwać, co za rejwach podniosły wszystkie wróble, jak zobaczyły, że on go skubie z niewyrośniętych piór, ale ile tam tego mięsa może być na takim nieopierzonym pisklaku, kości miękkie... sam dziób został i drobne pazury, cienkie jak z patyków.

Ktoś w ciemności poświecił latarką, zniknęły koty, jakby ich nigdy nie było, zniknęły szybciej niż echo ich głosów. Szedł ktoś, sam ciemny, za przesuwającym się kółkiem światła.

Po chwili słychać miarowe uderzenia trzepaczką w dywan, o tej porze wszystko wyraźniej słychać, uderzenia nigdy się chyba nie skończą pat pat pat pat pat pat pat pat pat, te kradzione dywany możecie już w dzień trzepać, woła czyjś wściekły głos, moment ciszy i znów pat pat pat pat, te poniemieckie dywany możesz w dzień trzepać, ty złodzieju, znów chwila przerwy, ciekawe, kto to woła, głos jakiś nieznany, ciekawe, kto trzepie, nic nie wiadomo...

Stały refleks numerów klatek schodowych, słabiutki jak płomień wiecznej lampki, wszystko ucichło, nikogo nie ma na podwórku, chociaż pewno w bramie ktoś szcza, na pewno, zawsze rano są ślady, słychać nawet szum, szczają i rzygają, a Stróżka musi to potem sprzątać, czasem wie nawet, kto do domu nie zdążył, ale tylko tak mówi, grozi milicją, jakby wiedziała, toby powiedziała, może się boi, bo wszyscy wiedzą, kto do niej przychodzi, wdowa, to jej wolno, ale Eda ma żonę i dorosłe dzieci, coś z tego wyniknie, cisza zupełna, tylko gruźlik spod siódemki kaszle, ale teraz ma ubezpieczalnię, wyjedzie do sanatorium, służba jest bezpłatna, za sanacji ludzie umierali na ulicy, czy to prawda, tatusiu, że przed wojną ludzie umierali na ulicy? Jakoś nie widziałem, widocznie miałem pecha, mówi ojciec i śmieje się do niej, teraz też umierają

na ulicy, jak kogoś ma szlag trafić, to go trafi i Święty
Boże nie pomoże, i służba zdrowia też nie, śmierć jest
bezpłatna i każdego na nią stać, ojciec znów się śmieje,
a matka mówi: nie opowiadaj dziecku takich rzeczy i tak
się wszystkiego boi.

Śmierć to jest taki sam szkielet jak ten kościotrup w Muzeum Przyrodniczym, tylko że w ręce trzyma
kosę.

Ona tak nie wygląda, na pewno nie, to tylko się tak
rysuje, żeby ludzi przestraszyć albo żeby było śmiesznie,
to musi być wielki ptak, ze skrzydłami olbrzymimi jak
u anioła, o piórach w kolorze niebieskich płomieni gazowych, i każdy widzi go tylko raz, kto go zobaczy, umiera,
leży nocą w łóżku otoczony ciemnością i wtedy z daleka
pojawia się mały gazowy płomyk, wydłuża się i kurczy,
jak znicz na wietrze, ciągle się jednak przybliża, przybie-
rając kształt ptaka, którego każde pióro z osobna jest
płomieniem, ale wcale nie parzy, tylko ziębi, bo śmierć
jest cała zimnym ogniem, kiedy dotknie kogoś lodowa-
tym płomieniem, to ten zaraz dostaje dreszczy, dzwoni
zębami, a jego ciało powoli stygnie, jednak ten ptak jest
taki piękny, że nic już się nie chce zobaczyć, tylko trójkątne oczy z rozchodzącymi się we wszystkie strony złotymi promieniami...

Szprycha myśli ciągle o tym ptaku, zamiast spać spokojnie, sama sobie winna, po co wymyśla takie głupoty,
których się boi, trudno potem takie myśli powstrzymać,
teraz też musi nakryć głowę kołdrą, żeby nie widzieć
ostrego, stalowego dzioba cienkiego jak ostrze brzytwy,
zakończonego szpikulcem, niewidzialnego gołym okiem,
który wejdzie w serce, przekłuje je na wylot, ale to wcale
nie boli...

To grzech, myśli z lękiem, przecież to grzech, bo to Pan Bóg zamyka ludziom oczy, Pan Bóg jest wszędzie obecny, jest straszny, bo wie, co ona teraz myśli, ale jest dobry, Panie Boże, nie zabieraj mi ojca, weź kogo innego, weź mnie samą, ale nie zabieraj mi ojca i żeby nie przychodziły rewizje, błagam cię, Panie Boże, nie pozwolę już pocałować się Pająkowi, skoro to grzech, tylko proszę cię, Panie Boże, nie zabieraj mi jeszcze ojca, ty jesteś Ojcem wszystkich ludzi, a jesteś nieśmiertelny, Panie Boże, więc nie wiesz, co to jest śmierć, chociaż Ty wiesz wszystko. Błagam cię, Panie Boże, nie zabieraj mi teraz ojca...

Załzawione oko Trójcy Świętej, wielkie jak cały sufit, przepływa nad łóżkiem, na którym śpi Szprycha, rozchylając swe wypukłe wargi w sennej modlitwie.

Musi być Chrystus i Judasz, człowieku

Nad czarnym podwórkiem zapanował spokój. Narysowane Oko Opatrzności nudzi się, będąc wszędzie i nigdzie. Zasnuwa się trójkątnym bielmem, nie chcąc wiedzieć nic o snach Pijusa, o grzechach ciekawej Blokowej zbierającej wszelkie informacje, żeby wiedzieć „w razie czego", o ciemnych sprawach pani Doni i jej eleganckiej znajomej, nic je to nie obchodzi, jest zmęczone i chce spać tak jak wszyscy, śpi Bóg Ojciec i Syn Boży, a ono musi ciągle czuwać, nawet kiedy jest śmiertelnie zmęczone, taką ma rolę, najbardziej uciążliwą ze wszystkich ról, jakie można sobie wyobrazić...

Pająk narysował je kawałkiem utłuczonej cegły na kamiennej płycie dużego podwórza, a teraz śpi sobie spokojnie i nic go nie obchodzi, chociaż nie ma łatwego życia ten chłopak.

Gdyby były inne czasy, zostałbyś księdzem, mówi mu matka, księdzem, akurat księdzem, księża nie mogą mieć żon i dzieci, a on już myśli o swoim domu, tym, który będzie kiedyś miał, oczywiście, jeżeli nie zginie na wojnie tak jak jego ojciec, jak to było, matka się ciągle nad tym zastanawia, pośmiertnie odznaczony, więc chyba się nie bał, jakby się bał, toby go nie odznaczyli, może nawet nie wiedział, że umiera, może wszystko tak szybko poszło, że nie zdążył pomyśleć, że to już, pewnie nie wiedział, myśli matka Pająka, haftując niebieski kwiat na fartuchu, na pewno nie, bo gdyby czuł, że umiera, to pomyślałby przecież o rodzinie, a wtedy ona by przeczuła jego śmierć, a nic a nic nie czuła, może to zresztą jakaś pomyłka, takie rzeczy się zdarzały w tym wojennym bałaganie, wszystko jest możliwe, kto wie, czy któregoś dnia nie usłyszą pukania, chociaż to już jednak ładnych parę lat po wojnie... jak cicho na tym podwórku, nareszcie trochę spokoju, wszystkie dzieciaki śpią, nie mógł wiedzieć, że umiera, bo ona by przeczuła, tak samo jak było z ojcem, od razu wiedziała, w tej samej sekundzie wiedziała, że ojciec umiera, bo o niej musiał pomyśleć; niedokończony haftowany kwiat wtulił się w fałdę opadającego z kolan fartucha.

Na szczycie topoli wyższym niż wysokie zamknięte w prostokąt domy, na samiusieńkim czubku tej najwyższej, środkowej, śpiący dotąd czarny ptak otworzył nagle oczy.

Posiwiałe pióra świadczyły o tym, że jest bardzo stary, starszy niż ktokolwiek na podwórku przypuszcza; osiemdziesięcioletnia wrona, czy to możliwe, wpatrzyła się w miękko zarysowane sylwetki drzew owocowych. Nie było ich wtedy, gdy była pisklakiem, nie było też kamiennych domów i tych wszystkich ludzi za szybami; prawie wszędzie dookoła rosły jeszcze lasy, gęste i ciemne, a między nimi chowały się pojedyncze domki wioskowe, kościół i cmentarz, kawałki ziemi pokratkowanej żółtym zbożem i zielonymi łąkami to były tereny, które oblatywała.

A teraz po drugiej stronie ulicy znajdowała się remiza tramwajowa oświetlona przez całą noc, gdzie stały czerwone tramwaje, dwójki, dziesiątki i siódemki rozwożące od piątej rano robotników po mieście.

Tramwajarze spali jeszcze mocnym, twardym snem, kiedy ptak otworzył oczy i popatrzył na dwa prostokąty żółtego światła przyglądające się nocy.

W jednym, ciemniejszym, siedziała, śniąc nad haftem, matka Pająka, pochylająca się coraz niżej w pokornym ukłonie nad fartuchem, który zsunął się jej z kolan na podłogę.

W drugim, bardzo jasnym, pracował przy biurku ojciec Eli. Na wielkim blacie, przy którym jego drobna sylwetka wyglądała na jeszcze mniejszą, leżała kolorowa mapa jakiegoś wycinka, wojskowa mapa topograficzna z zaznaczonymi mostami, fabrykami amunicji i obiektami cywilnymi. Powpinane szpilki z małymi czerwonymi chorągiewkami znaczyły ślady zwycięstw. Trzymał w ręce zakręcone wieczne pióro, którym wodził po tekście:

„Nie zważając na klęski i ogromne straty, Niemcy rozpoczęli latem 1943 roku nową ofensywę. Towarzysz Stalin w porę odgadł plan przeciwnika, który liczył, że za pomocą uderzenia z dwóch stron – z rejonu Orła i Biełgorodu – otoczy i zniszczy wojska radzieckie skoncentrowane wzdłuż łuku Kurskiego, aby następnie rozpocząć ofensywę na Moskwę. 2 lipca towarzysz Stalin uprzedził dowództwo wojsk na odcinku Orłowsko-Kurskim o możliwości ofensywy Niemców w okresie od trzeciego do szóstego lipca. I gdy piątego lipca niemieckie wojska faszystowskie przeszły wielkimi siłami do ataku na odcinku Orłowsko-Kurskim i Biełgorodzkim – napotkały zacięty opór wojsk radzieckich".

Włożył pióro do książki, żeby się nie zamknęła, i podparł twarz dłońmi. Poczuł dopiero teraz krople potu na czole. Łączyły się ze sobą i spływały zimnymi strużkami po dłoniach.

Odcinek Orłowsko-Kurski, zamyślił się przez moment i przypiął czerwoną chorągiewkę w odpowiednie miejsce – wykrwawiły się i wyczerpały doborowe dywizje faszystowskie, potem był ten jego słynny rozkaz i zdanie: „Obalona została legenda, że latem Niemcy zawsze osiągają sukcesy w ofensywie, a wojska radzieckie rzekomo muszą się cofać". Jakie to genialne posunięcie psychologiczne, jak to musiało oddziaływać na żołnierza, przełamał to, co najtrudniej przełamać, mitologię zwycięstw nieprzyjacielskich, która wywołuje w żołnierzach zabobonny lęk, przeszkadza im walczyć, on wiedział, że jak zrozumieją, że mogą zwyciężać, to będą zwyciężali.

Zdjął marynarkę i powiesił na oparciu krzesła, strzepując rękawy, żeby się rozprostowały. Rozścielił koc na polowym łóżku, a rzeczy kolejno zdejmowane układał obok, tam gdzie zwykle.

Ptak wpatrzony w poruszającą się po pokoju drobną sylwetkę poczuł zmęczenie... Zamknął więc znowu oczy i zapadł w nagły, starczy sen.

Obudził się w tej samej chwili, w której zadzwonił pierwszy, wyjeżdżający z remizy, dzienny tramwaj.

W prostokącie kamienic rozpoczął się ruch. Starsi synowie wychodzą do pracy, matki przygotowują śniadania, ojcowie włączają radia, żeby dokładnie nastawić zegarki.

„Cztery sznytki ze smalcem i z boczkiem, tylko nie dawaj mi z serem tylżyckim", opowiadała matka Marycha Starej Pani Człowieku, niech pani pomyśli, co za wymagania, tylko nie z tylżyckim, ale bo też naprawdę ten ser jest wyschnięty jak podeszwa, już się ludzie skarżyli Kaczmaruszkowi w spółdzielni, ale on nie winien, taki, jaki dostaje, taki sprzedaje, jeszcze mówił: „Każcie sobie kroić grubsze plastry, jak chcecie tak cienko krojone, że aż są przejrzyste, to nikt za to nie może, wojna była, to wszystko jedli", no, ale teraz jest dzięki Bogu pokój, mówi Człowieku, niech mu pani zrobi smalec z cebulką, jeszcze jak się dołoży kawałek jabłka, to taki smak, taki klarowny się zrobi... przecież pracuje, człowieku, narobi się, to i apetyt ma, co się dziwić, pieniądze do domu przyniesie, nie przepije wszystkiego jak syn tej z góry, tej biednej Wojtyniaczki, ale co tam oglądać się na innych, co tam krytykować ludzi, nie godzi się, człowieku, to też nie jest łatwo tak pić na umór, to musi być z nieszczęścia, z nieszczęścia, pani mówi, a Wojtyniaczka to szczęśliwa, mieszkam pod nimi, to wiem, co się tam dzieje, nieraz mówiłam Marychowi: „Idź do Nowego Dyrektora Tramwajów i zatelefonuj po milicję, przecież on ją zabije", a Marych nie i nie, sam poszedł na górę go uspokoić, ale po milicję nigdy... On mówi, większy wstyd dla matki milicja niż ten ból, ostatnio jest lepiej, bo mu w pracy przepowiedzieli, specjalne zebranie było, na komisję był wezwany, w gazetce zakładowej narysowali go jako bumelanta, co leży pod płotem i pije prosto z butelki, a podpis: „robota nie zając", więc się pewnie opamiętał, ale czy to aby na długo...

„Matka, ty za dużo gadasz, nie wystawaj tak ciągle z tymi babami przed bramą", tak mi Marych zawsze mówi, bo nie wiadomo, co kto komu powtarza, no ale o pani on zawsze z szacunkiem, to co innego, on tylko tej Blokowej nie lubi, taka ciekawa, wszędzie swój nos musi wetknąć i swoje trzy grosze dołożyć, a nie zawsze była wielką Panią Blokową, nie zawsze jej się kłaniali, to ona się musiała kłaniać, ci, co tu mieszkali jeszcze przed wojną, coś o tym wiedzą, tych to ona unika jak ognia, widziała pani, jak dobrze się zna z tym folksdojczem spod trójki, niech pani rzuci okiem, jak się zrobi ciemno, fartuch zdejmie, włosy uczesze i już jej nie ma, ja tam za nią nie chodzę, ale są tacy, co widzą, ludzie nie patrzą, a widzą, nikt z tego użytku nie robi, a swoją drogą ciekawe, gdzie też taki folksdojcz może pracować, przecież do pracy trzeba mieć opinię, a wszyscy wiedzą, co w czasie wojny robił, trzeba dać ludziom szansę poprawy, mówi Pani Człowieku, pani to mówi, przecież on pani męża... pani mogłaby mu pierwsza w twarz napluć, ja mu nie napluję, człowieku, ani pierwsza mu nie napluję, ani ostatnia, jak kogo sumienie nie zagryzie, to i ślinę za deszcz uzna, takich jak on zawsze potrzebują, zawsze i wszędzie, niech pani sobie to, człowieku, zapamięta, zawsze musi być Chrystus i Judasz, bo inaczej dobra od zła nikt nie odróżni.

To któregoś dnia wcześnie rano słyszał ptak, osiemdziesięcioletnia czarna wrona siedząca spokojnie na daszku klatki siedem A, bardzo rano, kiedy matka Marycha wracała ze spółdzielni z siatką pełną bułek i stanęła ze Starą Panią Człowieku, żeby chwilę porozmawiać, bo mało jest takich zacnych kobiet jak Człowieku, co jej powiesz, to jak w studni, jednym uchem słyszy, a drugim wypuści, ilu ludziom pomogła w czasie wojny, a teraz taki folksdojcz sobie chodzi wolno po ulicy, jakby nigdy nic, najpierw tego Hyrszlika wydał, co miał cukiernię przed wojną, ciastka pierwsza klasa, wzięli go i nikt nie wie, co się dalej stało, złoto zostało po nim, nawet nie zdążył zabrać, ale po wojnie przyszedł jego syn i zapytał, czy piece były przestawiane, nie, nie były, to opowiadała matka Szprychy, bo oni tam mieszkali, poprosił o drabinę, odbił kafel, jeden był inny, ona zawsze się dziwiła, jak myła piec, i wyciągnął sztaby złota, całą wojnę tam były, niech pani powie, jakby tak Niemcy robili rewizję, to mąż by długo im mógł tłumaczyć, że to nie nasze, i co pani powie, ani jednej sztabki nie zostawił, zawinął w papier i poszedł, no to nieładnie, ten stary był porządny człowiek, chociaż Żyd, nigdy by tak nie zrobił, ale wojna ludzi zmieniła... A ile ten folksdojcz nawyciągał z Żydów złota i brylantów, i czego tam jeszcze, Marych mówi, że takiego folksdojcza toby trzeba w ciemnej ulicy skopać i po wszystkim, ale Marych młody jest, porywczy; podobno wtedy, jak go nie było przez te lata po wojnie, to był w jakimś obozie i odpokutował, ciekawe, jak mógł odpokutować za tych, co przez niego ziemię gryzą, nikt się do niego z początku nie odzywał, ale pani nie wie, jacy są ludzie, więc jak zaczął tam pracować i okazało się, że może coś załatwić, to od razu znaleźli się tacy, co go potrzebują... więc dlatego Blokowa...

Ptak znudzony monotonnym głosem opowiadającej przeleciał nisko nad podwórzem (jego ociężały lot zastanowił Starą Panią Człowieku, ot, stare ptaszysko, posiwiałe jak ja, latać mu się nie chce), uniósł się tylko tyle, ile było trzeba, żeby przelecieć nad parkanem i znaleźć się w ogrodzie na morelowym drzewie, gdzie nie dochodziły już żadne głosy, chociaż nie ma się z czego cieszyć, bo jeszcze parę lat temu słyszałby z tej samej odległości każde słowo, a to niebezpieczne dla ptaka stracić słuch.

„Tylko nie z tylżyckim", tak jej Marych powiedział, a ona, śmiejąc się, powtórzyła to w rozmowie ze Starą Panią Człowieku, potem poszła do rzeźnika na róg i kupiła słoniny, niech ma, niech się cieszy, niech się naje.

Na rogu, u Wujca, nic nadzwyczajnego nie mają, stópki na barszcz, słonina, kotlety, ani karkówki, ani biodrówki, tylko te drogie mięsa, wie pani, co powiedział Wujec:

„Jakbym miał, tobym dał, teraz interes jest nasz, a nie mój", bo ludzie mówili, panie Wujec, co pan tak kiepsko handluje, on na to, my handlujemy, a nie ja, to nasze mięso, wszystko jest teraz nasze, jakby było moje, toby było, ludzie w śmiech, był właścicielem, jest kierownikiem, i tak dobrze, łaskę mu zrobili, że został w interesie, za Niemca też był tam rzeźnik, ale Wujec porządny człowiek, dla Polaków zawsze coś znalazł, aby do przodu, to jakoś pójdzie, żeby tylko wojny nie było, to się musi polepszyć.

Jeszcze spokój, wszyscy jeszcze w domach, czarnosiwy ptak na szczycie topoli patrzy w okna, dużo widzi, wielu informacji mógłby udzielić, dzwonią tramwaje, wyjeżdżają dziesiątki, dwójki, dzieci śpią mocnym nadrannym snem, nie muszą wstawać wcześnie do szkoły, bo zaczęły się wakacje, śpią jeszcze urzędnicy pracujący w Dyrekcji Tramwajów, obecnie Miejskie Przedsiębiorstwo Komunikacyjne, skrót EmPeKa, konduktorzy i motorniczy są już na miejscu.

Czarny ptak załopotał nerwowo skrzydłami, ocierając pióra o liście drzewa morelowego, ale kiedy przekonał się, że ten długi świdrujący dźwięk to po prostu budzik, siedział dalej spokojnie, zupełnie inaczej niż gołębie i wróble krążące bez potrzeby między domami.

Zaczął się już najwcześniejszy letni ranek. Stróżka polewała podwórko z węża, na niebie białe smugi chmur i błyszczące jak monstrancja słońce, choć bez liter IHS, zwiastowały znów dzień bez deszczu, więc trawa, gdyby jej nie polewać, byłaby sucha jak pieprz i kruszyłaby się pod nogami.

Kiedy podlana trawa nabrała soczystego odcienia, Stróżka odwróciła się i zaczęła spłukiwać podwórko. Strumień dosięgnął także Oka Opatrzności. Linie narysowane ceglastą kreską stały się wyraźniejsze na mokrym kamieniu, widać ożywił się Duch Święty; jest wśród przelatujących gołębi biała gołębica, jedni mówią: „Biały gołąbek z gałązką oliwną w dziobie to Duch Święty, symbol zgody i pojednania", tak mówi Ksiądz Kanonik Kropidło z pobliskiej parafii św. Floriana, patrona strażaków, dobry, ludzki ksiądz, „żeby biała gołębica przyniosła szczęście wszystkim ludziom dobrej woli", mówi z ambony, a inni z mównicy przemawiają tak: „biały gołąbek pokoju narysowany nieomylną ręką wybitnego artysty, Pabla Picassa (rzeczywiście ślicznie narysowany, bo on jak czasami coś namaluje, to nie wiadomo, co jest co, ręka noga mózg na ścianie, ale ten gołąbek mu się rzeczywiście udał), ręką samego Picassa, przyniesie pokój wszystkim ludziom na całym świecie", „niech sobie będzie gołąbek pokoju", mówi Ksiądz Kanonik Kropidło, „ważne, że zgoda zapanuje".

Biały gołąb, może zresztą to jest gołębica, siadł na parapecie okna Starej Pani Człowieku, zachrobotał pazurami w blaszany parapet, coś mu pewnie skapnie, trochę okruchów z wczorajszej kolacji, ale to wszystko mało, patrzcie go, jaki żarłok biały, śmieje się zza szyby Człowieku.

Fałszywy Judasz ziewnął resztką snu, przeciągnął się i popatrzył w górę na jedzącego gołębia. Potem obiegł podwórze powoli, dla rozgrzewki, miękko, jak tygrys obiega arenę cyrkową.

– Jakbym wiedziała, że to jest jej matka, tobym nigdy nie wzięła, wystarczy, żebym ją raz zobaczyła, ale ona nie jest taka głupia, starą matkę wysłała, żeby litość wzbudzić, taka przebiegła, zapukała ta staruszka siwa jak gołąbek, ledwo pukanie było słychać, nawet nie dzwoniła, otwieram, stoi cichutka i mówi, że słyszała, że my mamy piwnicę od ulicy i nie po schodach, a ona taka stara i chora, to czybyśmy jej nie wpuścili, dużo gratów nie ma, to trochę węgla i pół worka ziemniaków, tak mówi, jakby sama była, to myślę, stary człowiek, to czemu nie pomóc, ale widać Pan Bóg chciał nas doświadczyć, dałam klucze, pokazałam i na tym się na razie skończyło...

– Że też pani tej małpy wcale nie widziała – mówi matka Marycha.

– Widzi pani, jaka to mądrala, nawet się nie pokazała.

Obie kobiety opierają się o cementowy murek, z którego wychodzą żelazne pręty z ozdobnymi kolcami, otaczające trawnik z klombem i dwoma modrzewiami, środkiem prowadzi dróżka z kamiennych płytek, kończąca się przed solidnymi, choć wąskimi drzwiami. Za nimi kryje się nieszczęsna piwnica, przedmiot kłótni między panią Donią a rodzicami Szprychy.

– Powiedziałam mężowi, jak i co; staruszka; spokojna jak myszka; biała jak gołąbek; czemu nie wpuścić, a mąż na to, pamiętam jak dziś, powiedział: chcesz wpuścić, to wpuszczaj, ale żebyś potem nie żałowała, może jest cicha, a może jest jędza, tego nie możesz od razu wiedzieć, bo na czole nie ma wypisane, a co możesz wiedzieć, jak się parę dni temu wprowadziła...

– No i widzi pani, że miał mąż rację? Ja bym nie wzięła, nie ma mowy, tak w ciemno? Nigdy.

– Teraz tak pani mówi, jakby pani zobaczyła tę starą, to by się pani też zlitowała, jak będę chciała wziąć węgiel, to przyjdę po klucze, powiedziała, i tak zostało. Jednego razu ktoś dzwoni jak na alarm, otwieram, patrzę, nie znam, stoi wypudrowana, wypachniona, włosy pomalowane na fioletowo, słyszała pani, jak dzieciaki ją prześladują, że sobie w biurze kopiowym ołówkiem farbuje, i mówi, że chce klucz do piwnicy, ja zdziwiona mówię, że jej nie znam, a ona, że nie muszę jej wcale znać, bo jej matka ma z nami wspólną piwnicę, co za bezczelność, to przechodzi ludzkie pojęcie, wspólną piwnicę, wzięła klucze i poszła...

– Pani jest dziwna, jak pani mogła dać?

– No widzi pani, ja tak nie umiem z ludźmi, potem syn poszedł po węgiel, przychodzi i śmieje się do rozpuku, w piwnicy mamy teatr, mówi, co znowu, myślę, co za teatr, ale on mówi, że tego nie można opisać, to trzeba zobaczyć, coś mnie tknęło i lecę, otwieram, a tu nasz węgiel cały przesunięty pod ścianę, a przez środek idzie chiński parawan we wzory, jej węgiel od naszego odgrodzony i niech pani pomyśli, cały posypany mąką, a dookoła ustawiony płotek z takich cienkich szczapek drewnianych, że jak się przechodzi, to on się musi przewrócić...

– Ona jest chyba chora na głowę.

– Niech sobie będzie chora, co mnie to obchodzi, ale dlaczego w mojej piwnicy, a najgorsze to zobaczyłam potem, na ścianie przyklejona kartka: „Nie tykaj cudzego węgla, bo się wyda i pójdziesz siedzieć", mówię pani, że jak to przeczytałam, to pomyślałam, że dostanę ataku wątroby, czerwonymi literami i to nawet nie wypisane, tylko litery drukowane, powycinane z gazet i ponaklejane na papier.

– Że to babsko ma tyle czasu, żeby ludziom krew psuć.

- No sama pani widzi, zdarłam tę kartkę, bo w mojej własnej piwnicy nikt mnie nie będzie obrażał, i idę do tej starej. Nawet mi nie otworzyła, mówi, że córka ją zamknęła od zewnątrz i nie może otworzyć, bo nie ma kluczy, ale czort wie, czy to prawda, jaki pan, taki kram, mówię jej, że mogą się pożegnać z kluczami i zabierać węgiel, a ta matka, że córka się stara o przydział na połowę piwnicy i że obiecali dać, pani pomyśli, bez naszej zgody, nigdy nikt nas za złodziei nie miał, nawet za Niemca, mojemu mężowi żona prezydenta miasta proponowała, żeby został rajsdojczem, nie tam folksdojczem jak ten obok, ale rajsdojczem, bo mój mąż był urodzony w Berlinie, musi pani wiedzieć, mój teść miał przed pierwszą wojną wielką fabrykę konfekcji i dom mody, ale mój mąż co roku był na wakacjach w Polsce, bo tu majątek mieli, ale teść to taki polonofil był, że nawet wódkę kazał sobie skrzynkami z Polski sprowadzać, i książki do dziś mamy z Krakowa, o Królowej Jadwidze, dzieci tam na polski katechizm chodziły. - Zmęczyła się trochę opowiadaniem i przysiadła na słupku, matka Marycha zajęta historią zrobiła to samo.

- Dobrze, że mąż do Polski wrócił, że Niemcem nie został. - Matka Marycha westchnęła z ulgą.

- Ale tam Niemcem, niech pani słucha, jak przyszło do tego, że albo trzeba było Niemcem zostać, albo wyjechać, albo albo, to nasz dziadek, mój teść, powiedział: „Niemcem z obywatelstwa nigdy nie zostanę, wracam do Ojczyzny", mąż nawet to w albumie pod zdjęciem teścia wypisał, i co pani powie, wrócił, a po paru latach splajtował, no bo to nie to co Berlin, tu nie było dla kogo szyć, tam cała opera berlińska się u męża ubierała, bo już został wspólnikiem ojca, chociaż młody, a tu co, najpierw

59

dom mody zamknęli, a potem fabrykę zmniejszyli, ale jeszcze starczyło na wszystko, biedni nigdy nie byliśmy, i jak ta żona prezydenta miasta powiedziała, żeby mąż rajsdojczem został, że ona mu pomoże, bo się u nas ubierała, ludzka kobieta, chociaż Niemka, to mąż na to: „Mój ojciec cały majątek poświęcił, żeby wrócić do Ojczyzny, a ja bym miał tak zrobić, to się nie da", podziękował jej grzecznie, teść by się w grobie przewrócił, jakby do tego doszło, ale ona powiedziała tylko: „Jak pan woli", pamiętam jak dzisiaj, bo byłam przy tym, tyle po niemiecku to umiałam, ale ona się obraziła i męża na roboty wzięli, serce i płuca sobie poniszczył i teraz muszę go nie wiem jak pielęgnować, nie ten sam człowiek, i wszystko przez tę uczciwość, a jak pani myśli, czemu się gnieciemy w jednym pokoju w piątkę? Bo jak się nasza kamienica spaliła, to kuzynka mówi, chodźcie do mnie, my sami z mężem nie mamy dzieci, to razem będzie lepiej.

– To też ładnie z jej strony, nie?

– No, ale wszyscy zajmowali, co się dało, bo tu, musi pani wiedzieć, wszystko było wolne, a mąż nie i nie, uparł się, że poczeka, aż mu rząd mieszkanie przydzieli, i do dziś tak czeka, domiar to mu przydzielili, kapitalista od siedmiu boleści, i teraz jeszcze potrzebna nam ta piwnica...

– Jak przyszłam tu z małym Marychem, to stały puste mieszkania na pierwszym piętrze, ale takie duże, to dla nas za eleganckie, powiedziałam sobie, i też my nie wzięli takiego.

– Widzi pani, a Blokowa wzięła i się nie zastanawiała, i ma, i może robić, co chce.

– A ile my mogli mieć wszystkiego po Niemcach, ale nie chciałam, te poniemieckie dywany, to wszystko, szkoda gadać.

- Nie ma co żałować, można prosto w oczy ludziom patrzeć.

- Pewno, Pan Bóg i tak wie, co kto jest wart.

- Ludzie też wiedzą, niech pani będzie spokojna.

- Żeby tę Donię ukrócić, bo to przecież niemożliwe, żeby się tak panoszyła, może Blokowa by poszła do Administracji...

- Na to nie ma co liczyć, nawet bym tego nie chciała, obie po jednych pieniądzach.

- Ma pani rację; tę babę powinien dawno szlag trafić, anioła potrafi z równowagi wyprowadzić, Mecenas taki spokojny człowiek, a ją z nożem gonił, szkoda, że nie dogonił, Mecenas jakoś by się wytłumaczył, wszyscy by poświadczyli za nim...

- Pani wie, że zamek do piwnicy zmieniła i musieliśmy się do własnego węgla włamywać?

- Nie, no to już więcej niż milicja pozwoli, musi pani iść do Administracji.

- Co Administracja może, jak ona wszystko przez Ligę Kobiet załatwia, zaświadczenia jakieś dostaje, ta dama, co do niej przychodzi i woła pod oknem, to podobno z Ligi Kobiet.

- To dlatego taka mocna, ale pani syn przecież należy do ZetEmPe, to niech mu pomogą, muszą się z nim liczyć.

- A tam, to jeszcze dzieciak prawie, jego to wszystko śmieszy.

- Tak długo będzie się śmiał, aż ojciec hercszlagu dostanie, niech mu pani tak powie, jak ci się ojciec z tego zmartwienia zawinie, to będzie za późno...

- Niech pani tego nie mówi.

- Tak trzeba mu powiedzieć, to zaraz pójdzie, a nie, żeby taki chwast jak ta Donia się panoszył, skąd w ogóle tu przyjechała, nikt nic o niej nie wie, nawet Blokowa nie wie, skąd są...

Matka Szprychy wzięła wiadro i ruszyła w kierunku drzwi piwnicy. Matka Marycha poszła za nią, mówiąc przez cały czas, kiedy ta męczyła się z otwieraniem. Nareszcie udało się otworzyć i matka Marycha mogła się na własne oczy przekonać, że wszystko, co usłyszała, było prawdą. Proszę, niech pani sama zobaczy, weszła więc, podziwiając chiński parawan w czerwono-żółte smoki i misternie ustawiony płotek. Jedno drewienko opierało się o drugie, tworząc łańcuch liter M biegnący dookoła węgla posypanego grubą warstwą mąki.

- Nie, no to nie do uwierzenia. - Matka Marycha stała pośrodku piwnicy, kręcąc bezradnie głową. - Jakbym sama nie zobaczyła, tobym nigdy nie uwierzyła...

- Muszę dobrze nahajcować, to cała rodzina się wykąpie - powiedziała matka Szprychy, szuflując węgiel.

Odstawiła wiadro i wyniosła zza parawanu jakiś przedmiot; wycięta z drzewa czarna od węgla sylwetka ludzka.

- Co to może być? - pyta matka Marycha.

- To była kiedyś popielniczka, stała u męża w przymierzalni, po co ma leżeć, chciałam porąbać do spalenia, ale dziewucha tak płakała, że to chce, to niech ma, sobie umyje i niech się bawi.

- Zrobiło się późno - mówi po wyjściu z piwnicy, patrząc na słońce, matka Szprychy.

- No to do widzenia.

- Do.

Matka Szprychy przez klatkę schodową wchodzi na podwórko. W jednej ręce trzyma wiadro, jakby nic nie ważyło, mimo że wielkie bryły węgla wystają sporą piramidą ponad cynowy pierścień, drugą przyciska do boku płaską sylwetę, idzie wyprostowana, silna, niebieskimi oczami szukając jasnych włosów córki.

Pająk już ćwiczy łapanie piłki na kampę, dzień dobry, dzień dobry, wyrzuca małą piłkę w niebo, jak najwyżej, długo czeka, zanim spadnie, ale kiedy spada w jego nieomylnie nadstawioną dłoń, Pająk za każdym razem z zadowoleniem oblizuje usta.

Szprycha wybiega zza żywopłotu i bierze od matki tajemniczy przedmiot, kładzie go na ziemi i znika z matką w domu. Po chwili wychodzi, niosąc olbrzymią miednicę z kolebiącymi się mydlinami. Pająk ma w kieszeni mistrzostwo podwórka, łapie dziewięć piłek jedną po drugiej, nie ma mowy, żeby ktoś był lepszy od niego, może przerwać ćwiczenia i zobaczyć, co takiego Szprycha robi.

– Publiczna kąpiel? – mówi, widząc miskę z mydlinami.

Dziewczynka szuka w wodzie szczotki i zaczyna szorować przyniesione przez matkę z piwnicy dziwadło. Na szczęście brud jest powierzchowny i łatwo schodzi.

Murzynka w małym białym czepku i fartuszku kelnerki uśmiecha się pełnymi wargami; w wyciągniętej ręce trzyma popielniczkę. Pochyla się w pokornym ukłonie.

– Fajne czy nie? – mówi Szprycha.

– Jak na popielniczkę, to dużo miejsca zajmuje.

– Bo myśmy mieli kiedyś wielkie mieszkanie, ale ja tego nie pamiętam, bo to było przed wojną.

– No, to cię jeszcze nie było w planie.

Czyszczą popielniczkę miedzianą, najlepiej piaskiem, najlepiej, albo popiołem i śliną, a tam, śliną to

obrzydliwe, brzydzisz się własnej śliny? nie bądź głupia...
coś ty.

Słońce pada na miedź, pod wpływem jego promieni
wypolerowana płaszczyzna z czerwonej robi się złota,
matowe są tylko wygrawerowane litery na dnie, zaśnie-
działe jaszczurczą jadowitą. zielenią, Martell 1715–1915,
co to znaczy, pyta Pająk, nie wiem, może nazwisko jakiegoś uczonego, taa, akurat uczonego na popielniczce,
puknij się, zapytam ojca, on na pewno będzie wiedział;
można te litery wyczyścić spinką, mówi Pająk, po co czy-
ścić, jak mają taki ładny kolor, ale to trucizna, ojej, zaraz
trucizna, tyle co za paznokciem, przecież nikt tego nie
będzie lizał, mówi Szprycha, a jak jakiś mały dzieciak
poliże, upiera się Pająk, to niech nie liże, zaraz się nie
otruje...

Słońce coraz mocniej grzeje, ze wszystkich mieszkań
wybiegają dzieci. Te zupełnie małe bawią się w pryzmie
żółtego piasku przywiezionego w jakimś celu dwa miesiące temu, tylko nie roznosić mi tego piasku po całym
podwórku, mówi Stróżka, widząc ze czterdzieści równo
ustawionych babek; pracowitość trójki małych piekarzy
jest zdumiewająca, z podziwu godną cierpliwością wyko-
nują wciąż od nowa te same czynności, bez śladu znuże-
nia pukają w wiaderka i foremki, pomagając urodzić się
babce, nagle jakieś trochę starsze dziecko przebiega obok
i niezupełnie przypadkowo burzy kilka sztuk, podnosi się
wrzask, mama, maamaaa, on nam burzy babki, proszę
pani, on nam zburzył babki, taki stary, a taki głupi, zróbcie sobie nowe, jeszcze ładniejsze, ale my nie mamy mo-
krego piasku. Macie tu butelkę z wodą i zróbcie sobie
mokry piasek, mówi Mira.

Starsze dzieci siedzą znów na kocu i podziwiają Murzynkę z popielniczką. Pająk na siedząco ćwiczy łapanie piłki.

– Koty darły się dziś w nocy niesamowicie – mówi Szprycha – nie mogłam zasnąć.

– Bo im było dobrze. – Piłka spada Pająkowi w krzaki, Pająk spluwa daleko i czeka, aż chłopak, ten sam, który wczoraj przedrzeźniał kobietę wołającą: Pani Dooniu!, poda mu piłkę; wpadła gdzieś w krzaki, trzeba jej szukać, uwaga, pszczoły, mówi Mareczek, rzeczywiście drobne kwiaty na żywopłocie otaczającym trawnik są ledwo widoczne pod ciężkimi odwłokami, ale zapylanie odchodzi, mówi Mareczek, ja cię pierniczę, Mira znalazła biedronkę, liczą kropki, jest siedem, siódemka najszczęśliwsza liczba, trzy na jednym skrzydle, trzy na drugim i jedna w środku, przy samej głowie, biedroneczka-patroneczka leć do nieba przynieś mi kromeczkę chleba, dmuchają na nią, ale nie chce się jej schodzić z ciepłego ramienia Miry, daj mi, daj mi, naprasza się Mały Gnój. Mira kuca i sztywno, nie poruszając głową, nadstawia ramię, on grubym, małym palcem chce zdjąć biedronkę, ale to wcale nie jest łatwe, podstaw palec i czekaj, ona sama wejdzie, ona nie chce, Mały Gnój zaczyna ryczeć, drze się coraz głośniej, ona nie chce do mnie przyjść, biedronka zatrzymuje się w miejscu, leć do nieba, powinna lecieć, ale stoi osłupiała, a Mały Gnój bierze ją bez żadnych ceregieli w dwa palce, przestaje ryczeć i obserwuje, jak zaczyna przebierać nóżkami, bo położył ją na grzbiecie, śmieje się, odwraca ją, łaskoczą go w dłoń małe, czarne nogi, z góry naciska ją palcem, nikt już nie interesuje się tym, co on robi.

Znalazła się wreszcie w krzakach piłka Pająka i teraz kłócą się, kto będzie grał, w której drużynie, mały brat Miry posuwa w tym czasie swe doświadczenia zbyt daleko, biedronka puszcza gęsty żółty sok, jego zapach coś mu przypomina, pachnie trochę gorzko, trochę słodko, ciekawe, jaki ma smak, taki sam jak zapach, trochę słodki, trochę gorzki, niedobre, mówi brat Miry, wycierając ręce w trawę, a potem w spodenki gimnastyczne, za duże na niego, stanowczo za duże, dynamówy, mówią dzieci, on ma prawdziwe dynamówy, Dynamo Tbilisi, to jest drużyna, Mały Gnój siedzi z głupią miną, bo z tą biedroną się nie udało, dlaczego nie chciała do niego przyjść, Mira widzi, że coś jest nie w porządku, gdzie jest ta biedronka, w trawie, i znów beczy, czego beczysz, przyleci następna, ale ja chciałem tą, idź lepiej do piasku, mówi Mira i on leci do kupy żółtego drobnego piasku, przysiada się i zaczyna z miejsca sadzać babki.

Podwórko tymczasem zamienia się w boisko do palanta, półmetek i meta wyrysowane kredą. Pająk jest matką, macią; gruby kij do palanta trafia z ogromną siłą w małą piłkę, niestety ręka Włodasa nie jest taka nieomylna jak ręka Pająka, piłka odbija się tylko o wystawioną dłoń, skręca nagle i uderza w szybę mieszkania pani Doni, szyba zadrżała niebezpiecznie, jakby chciała wyskoczyć z białej lakierowanej ramy, ale jednak została w niej, nie pękła, na szczęście piłka straciła impet na ręce Włodasa, gdyby nie to, już byłoby po szybie, na wszelki wypadek, chociaż na podwórku nie ma nikogo dorosłego, wszyscy schowali się w bramie, musiało akurat w jej okno, tłumią śmiech, zatykają sobie usta, z oczu płyną łzy, zginają się wpół, wciskając brzuchy, z igraszek przyjdzie do płaczek, mówią matki, zawsze tak jest, taki niepohamowany śmiech zawsze prowadzi do łez, Mareczek idzie na zwiady, wychyla się, ale nic nie widzi, wylatują więc na podwórko z dzikim wyciem, znów ustawiają się w tych samych miejscach, odtwarzają dokładnie tę samą sytuację i wtedy właśnie z bramy wychodzi pani Donia z twarzą wykrzywioną złośliwym uśmiechem, idzie w kierunku bawiących się dzieci, ani mru-mru, mówi Pająk przez zaciśnięte usta, jak kto zdradzi, to giry z dupy powyrywam, dzieci udają, że są bez reszty pochłonięte grą, rzucają piłkę, łapią ją w locie, jakby nigdy nic, pani Donia podeszła zupełnie blisko do Pająka, teraz dopiero widać, jaki on jest wysoki, a ona, chociaż zajmuje tyle miejsca w przestrzeni, jaka jest niska; nie poszła dziś do biura, ubrana odświętnie, na granatowo, w kostiumie, pierwszorzędny materiał, może pani wierzyć, czysta wełna, deputat kolejarski, żakiet dopasowany, biust podwyższony, wyrobiony na sztywno, ramiona kwadratowe, na poduszkach, wywatowane, wygląda, jakby wcale nie miała szyi, niech pani patrzy, taki wcięty żakiet na talię, jak wcale nie ma talii, to dobry dla młodych, pewnie, dla pani starszej córki byłby dobry, to tak, ma talię jak osa i wysoki biust, ale dla takiej, gdzie tam dla niej, dupa jak ratusz i taka spódnica do dołu wąska, wygląda w tym jak wieloryb, patrz pani, zaraz będzie awantura, widziałam, jak jej piłką w okno strzelili, wielka rzecz, przecież nic się nie stało, u mnie już dwa razy szybę wybili, wzięli ramę, zanieśli do szklarza, złożyli się, wielka rzecz, niech pani patrzy, jak to stoi, jak taki Mazepa, i patrzy na te dzieciaki, jakby je chciała samymi oczami pozabijać, nie ma się co dziwić, stara panna, swoich nie ma, to nie umie z dziećmi, ale wie pani, że widziałam, ale to tylko między nami zostanie, co też pani, ja tam z nikim nie rozmawiam, widziałam, jak jeden do niej wieczorem dzwonił, może jaki interes miał, interes to ona miała do niego, bo widziałam, jak jej oczy latały, proszę, niech pan wejdzie do środka, i co za uśmiech, a jaka wyperfumowana była, że jeszcze jak zamknęła drzwi, a ja szłam ze śmieciami, to pachniało na całej klatce schodowej, oczy jej niemożliwie latały, ale kto by tam z taką, pani nie wie, ona może dla chłopów być słodka jak miód, może umie, pani wie co, chłopy lubią, jak kobita umie, patrz pani, od tych dużych dzieciaków się nie mogła dowiedzieć, to do tych małych poszła, a te małe, o bo pęknę, patrz pani, jak to głowami kręcą, że nic nie widziały, oj, dzieciaki, dzieciaki, wszystkie za jednego, jeden za wszystkich, to mi się podoba, a co, mają donosić, nie; ale pani wie, jak jest, jak urosną, to się zawsze jakiś parszywy znajdzie, ale niech pani tak nie mówi, z naszego podwórza wszystkie są porządne, jak jeden, nawet ta Elżucha od Ubowca, jaka to dobra dziewucha, nie ma pani pojęcia, taka chętna, jak co potrzeba, to zaraz ona, on tam taki sam Ubowiec jak pani, co on za to może, ciągle tylko strateg i strateg, i tak w kółko, jego by trzeba leczyć, może kiedyś to tak, ale teraz na rencie jest, po nocach czyta, taką mapę ma, wiem, bo mi moja dziewucha mówiła, jak była u tej Elżuchy, to jej pokazała jego pokój, wszędzie zdjęcia wiszą, portrety różne, w mundurze i bez, przy orderach, a na biurku stale leży taka wielka mapa, a w nią w różnych miejscach powpinane szpilki z takimi małymi chorągiewkami, z papieru czerwonego wycięte, co ta Donia, cicho, niech no pani słucha, no nie, no co to, to nie, dzieci milicją będzie straszyła, to już za dużo, mój jest taki nerwus, co sobie myśli, idę i jej powiem, no nie...

Słychać podniesione głosy kobiece.

- Co pani, ja nie pozwolę, ja to załatwię inaczej - mówi Donia. - Jeżeli do trzeciej nie dowiem się, kto uderzył piłką w szybę...

- Co do trzeciej, co do trzeciej, co pani jest Bóg Ojciec czy co, pani nie ma prawa, proszę bardzo, niech przyjdzie milicja, co pani tu będzie straszyć, nic się nie stało, gdzie jest ta wybita szyba? Jak nie ma zbitej szyby, to pani grzywnę zapłaci za zawracanie głowy milicji.

- To pewnie pani syn uderzył, bo tak pani broni - wtrąca Donia.

- Mojego syna niech pani zostawi w spokoju, niech pani pilnuje swego nosa, już ludzie wiedzą, kto pani jest, nie wiadomo skąd przyjedzie i potem się rządzi na cudzym podwórzu...

Włosy pani Doni, jak kopiowy ołówek, mówią dzieci, nieco przerzedzone na czubku, ukazują teraz, kiedy się posklejały, paski różowej skóry, twarz czerwienieje z wściekłości; łyka powietrze głębokimi haustami i nie mówi nic, bo na razie nie może wykrztusić ani słowa, zbiera się, ale nie tak łatwo przerwać matce Najdusa, nie darmo mówi się o niej „do rany przyłóż, ale nie daj Boże nadepnąć jej na odcisk", wtedy to umie buzię rozedrzeć, dobrze, że się dostało tej pani Doni, od dawna się jej już należy, w oknach pokazują się głowy, na balkon wychodzą ludzie żądni usłyszeć parę słów prawdy, nagle pani Donia krzyczy głośniej niż matka Najdusa:

- Ta sprawa oprze się o Ligę Kobiet.

- A niech się opiera! - odkrzykuje w ślad za nią matka Najdusa. - Tylko niech uważa, żeby się nie wywróciła, jak się za mocno oprze.

Z okien i balkonów słychać głośny śmiech i gwizdy. Jak na dane hasło zaczynają gwizdać wszystkie dzieci, które umieją, a te mniejsze wrzeszczą jedno przez drugie, siedem światów z tą panią Donią, mówi matka Marycha, która opowiada przebieg zajścia Blokowej; biedaczka dopiero wróciła z rynku i nic nie słyszała, jak na złość, kiedy coś się dzieje, to akurat pod jej nieobecność...

– O czynniki się oprze. – Matka Marycha śmieje się.

– Trzeba z nią uważać, ostrożnie i jeszcze raz ostrożnie – przestrzega Blokowa. – Nie wiadomo nigdy, co może wymyślić; oszkalować, oczernić, tak jak z tą piwnicą, najlepszy dowód, będzie sprawa, chociaż wszyscy wiedzą, że nikt jej węgla nie ukradł, i widzi pani – a jednak, można się potem tłumaczyć, nie każdemu wierzą, tylko temu, komu chcą, oni będą mieli z nią twardy orzech, jeszcze to prywatna inicjatywa...

– Niech pani nie kracze, wszyscy zaświadczymy, a chłopak pracuje u „Stalina" i był w EsPe, to też może pomóc...

Blokowa ociera pot z czoła.

– Coś słaba jestem ostatnio, te upały takie, że spociłam się jak mysz. – Na dowód podnosi rękę, pod pachą ciemnieje wielka plama potu. – Nie wiem, co to jest, a przecież tak dużo znów nie niosę, parę kilo pyrek i trzy kilo ogórków na kiszone.

– Bo za gorąco jest – zgadza się matka Marycha.

Blokowa patrzy na dzieci, które zręcznie jak komandosi przesadzają płot w trzech niezbędnych ruchach.

– Nie latać mi tu, nie przełazić przez płot! – woła Blokowa, kiedy ostatni chłopak zniknął po drugiej stronie. – Skaranie boskie z tymi dziećmi. – Patrzy teraz badawczo na matkę Marychę. – Widzę, że ma pani bluzkę z nylonu – mówi szybko.

– Syn mi kupił, okazyjnie.

- To amerykański nylon - Blokowa maca śliski materiał - ciekawe, gdzie też można takie coś kupić, jaki przeźroczysty, musi być do tego elegancki biustonosz i halka, ładnie to wygląda, sama bym kupiła, jakbym wiedziała gdzie...

- Ja tam nie wiem, od kogoś odkupił, ale mówię pani, że już nigdy bym czegoś takiego nie kupiła, bo to nie przepuszcza powietrza, człowiek jest jak ugotowany.

- Ciekawe swoją drogą, skąd w Polsce ten nylon? - naciska Blokowa.

- Ja tam nie wiem, nawet się nie pytałam.

- Bo wie pani - głos Blokowej staje się niebezpiecznie mdląco słodki - słyszałam, że niedawno gdzieś za miastem znaleźli na polu spadochron z białego nylonu, zeszyty z klinów, wie pani, jak to wygląda, wielki, jak nie wiem co, jak się go rozłożyło, bo złożony jest malutki.

- Ja tam spadochronu nigdy nie widziałam, to nie wiem.

- Dwóch go znalazło, podzielili na pół i jedna żona w nylonowej sukni, druga w nylonowej sukni, dziewczynki do komunii też w nylonie, to ludziom coś podpadło, bo skąd tyle nylonu, no i za jakiś czas przyjechała milicja i przepytała wszystkich ich, co i jak, skąd ten nylon, i musieli się gęsto tłumaczyć, i o mały włos poszliby siedzieć, bo co się okazało, że był to spadochron amerykańskiego szpiega, którego tu zrzucili, żeby wywęszył, co i jak u nas w wojsku, mówili o tym na zebraniu Komitetu Blokowego, no i milicja nie wiedziała, czy oni czasem tego szpiega nie przechowywali i czy nie dostali za to tego spadochronu... .

- Patrz pani, to jakaś gnida musiała wygadać, a przecież mówili, że znaleźli na polu.

- Mówić to mogą dużo, ale trzeba bardzo uważać, jak się coś takiego kupuje, bo można źle trafić, a oni – Blokowa wskazuje drzwi mieszkania Szprychy – kupili swojej dziewusze lalkę amerykańską, podobno z paczki, ale pytanie, od kogo, kto może u nas dostać paczkę z Ameryki...
- Każdy, kto ma krewnych – wtrąca zniecierpliwiona już matka Marycha. – Muszę obiad nastawić, bo Marych wróci głodny jak nieboskie stworzenie, to musi dostać jeść.

Rozchodzą się, przecinając drogę pani Doni, która z torebką w ręce i z papierową teczką pod pachą zmierza pewnie do jakiegoś urzędu, w tej teczce są chyba dokumenty; idzie, rozglądając się na boki, może do biura adwokackiego, ze skargą na Mecenasa, może do Rady Narodowej, może do Zarządu Ligi Kobiet, miejsc jest wiele, trzeba nareszcie zrobić porządek, może niesie opis złodziejskich praktyk tych ludzi, za każdym razem płotek przewrócony, mąka osypana; przechodzi obok bawiących się dzieci, tak, tego też za wiele, ciągle hałasy pod oknem, wulgarne słowa pod jej adresem, tak, to też trzeba załatwić...

- Coś knuje – mówi zaniepokojony Pająk, ale niepokój przechodzi mu od razu, gdy ona znika w bramie.
- Ka-ja-ka-ta-ka-ba-ka-ba-ka-jest-ka-głu-ka-pia – Szprycha zwraca się do Pająka szyfrem podwórkowym. Ka-wczo-ka-raj-ka-by-ka-ła-ka-u-ka-nas-ka-ze-ka-swo-ka-im-ka-świa-ka-dkiem-ka-za-ka-sra-ka-nym-ka-i-ka-po-ka-wie-ka-dzia-ka-ła-ka-że-ka-bę-ka-dzie-ka-sąd.

Mówi coraz szybciej, popisuje się, wiedząc, że i tak nikt jej w tym nie dorówna.

- Ka-prze-ka-stań-ka-szpry-ka-cha – powstrzymuje ją Pająk.

Dziewczynki siadają na kocu, chłopcy kucają w pobliżu, słuchając, o czym one mówią, dlaczego tak błyszczą im oczy i czerwienieją policzki.

– Więc jak ktoś cię, powiedzmy, poprosi: „Zanieś mi ten list na górę, dziewczynko", ktoś nieznajomy, oczywiście, to żeby nigdy nie iść, bo to jest taki sposób zwabienia, a tam na górze dzwonisz i wciągają cię do środka, i mają już przygotowane specjalne maszyny, i najpierw zabijają dzieci, a potem robią z nich parówki...

– Ale przecież, jakby to było tak dokładnie wiadomo, toby ich milicja złapała.

– No i też tych jednych już złapali, ale teraz pojawił się wampir, a on jest jeszcze gorszy, wczoraj wieczorem, jak leżałam w łóżku, słyszałam, matka mówiła o nim do ciotki, ale nie mogę powiedzieć, bo będziesz się bała...

– Powiedz, powiedz.

– On zawsze chodzi w czarnym flaku, jak na deszcz, w długim prawie do kostek i w kapeluszu wciśniętym na czoło, że nie widać twarzy...

Dookoła opowiadającej dziewczynki zbierają się dzieci, siedzą cicho i nie przerywają.

– I ma zawsze przy sobie taką olbrzymią igłę, taki duży szpikulec, i była taka historia, bo on napada na kobiety, które chodzą wieczorem same po ulicach, na takie, no... zapomniałam, matka mówiła wczoraj do ciotki, na pe się zaczyna, no...

– Prostytutki – wtrąca Pająk.

– A co to są? – pyta Kaśińka.

– Ty idź stąd, to nie dla ciebie, za mała jesteś.

– Ale co to są perostytutki? – Kaśińka ma już łzę w kącie oka.

- Zapytaj swoją siostrę, ona dobrze wie - mówi Pająk.
- To są takie duże czarne muchy.

Dzieci śmieją się, ale zaraz sykają, cii, dalej, dalej, dalej.

- No i on - opowiadająca dziewczynka przełyka ślinę napływającą do ust z obrzydzenia i z emocji jednocześnie - i on podchodzi zupełnie po cichu od tyłu, musi nosić cichochody albo tenisówki, łapie, wykręca do tyłu ręce, trzyma jedną ręką, drugą zatyka buzię, żeby nie krzyczała...

- A trzecią wyciąga igłę. - Mareczek jak zwykle musi się wygłupić.

- A potem ją ogłusza, wyciąga tę wielką igłę, robi dziurę w szyi i przez tę dziurę wypija całą krew z takiej kobiety.

- Nie może wypić całej krwi, bo człowiek ma pięć litrów.

- No w każdym razie pije, ile chce.

- A resztę w dzbanku zabiera dla dzieci - znów mówi Mareczek.

- Ja nie opowiadam - oburza się Szprycha, zacina się i milczy, bo i tak wie, że wszyscy będą ją prosili.

- Mareczek, bo dostaniesz wpierdol - mówi Pająk.

- A potem co? - pyta Ela.

- No jak się już napije, to... - Szprycha waha się przez moment, a potem szepcze do ucha Eli coś, czego nie można powiedzieć głośno, takie jest okropne.

- Nie, naprawdę? - dziwi się tamta.

- No, jak Boga kocham, tak matka mówiła, myślała, że śpię.

- A co? co? - dopytują się dzieci.

- Tego nie powiemy, tego nie powiemy - mówi Szprycha.

- Tak nie wolno, zaczynać, a nie kończyć.

- No, coś jej robi, domyślcie się sami co, a ona już wtedy prawie nie żyje, bo już nie ma krwi.

- A on coś jej robi – powtarza zadowolona Ela.

- A pamiętacie, jak szliśmy z pływci i ten dziad za nami leciał?

- A tam, ten to był po prostu kiernięty, wrzeszczał, że nas wszystkich do Rosji powysyła... „Na Syberię wszyscy!", wołał i leciał za nami.

- Gorszy był tamten, jak siedzieliśmy na kamieniu, pamiętasz, Elżucha? Ty wtedy byłaś i Kaju był, jak przyszedł ten jeden i mówi takim głosem: „Nie siedźcie tak na tych kamieniach, bo dostaniecie wilka", i złapał Elę za...

Wszyscy się śmieją.

- Wcale mnie nie złapał, bo zaraz uciekłam.

- Złapał cię, złapał, widziałem – mówi Kaju.

- Za gacie ją złapał i mówi, jak będziesz tak siedziała, to pizdę przeziębisz.

Znów się śmieją.

- To prawda, jak się siedzi za długo na kamieniach, to potem można nie mieć dzieci.

- A pamiętasz, Mira, tego na rowerze?

- Tego, co wstawał i miał rozprute spodnie?

- No, i tam mu wisiało coś obrzydliwego, takiego, że nie mogłam patrzeć, można się porzygać, łuch.

- Ale patrzyłaś.

- Bo pierwszy raz coś takiego widziałam.

- Ojej, jaka święta, a nie widziałaś, jak Mały Gnój sika?

- Ale to było zupełnie co innego, przestańcie mi przypominać, bo mi się naprawdę robi niedobrze...

Podwórko zaczyna ociekać krwawymi opowieściami o poćwiartowanych ciałach wynoszonych w walizkach, o krwi niemowlęcej używanej do specjalnych żydowskich opłatków, i o kościele przy ulicy Żydowskiej, w tym małym kościółku, wiecie, ta uliczka odchodzi od Starego Rynku, tam jest taka studzienka i tam Niemcy przedziurawili hostie i poleciała z nich krew, to jest prawda, to był cud, cuda się już nie zdarzają, nasz ksiądz mówił, że często wyobraźnia ludzi tworzy takie rzeczy, a była akurat wojna i ludzie chcieli w to wierzyć, bo jak im nikt nie mógł pomóc, to myśleli, że Bóg pomoże, ale tam, kiedy nam to ksiądz w tym kościele mówił, że to prawda.

– Mówił, że prawda?
– Mówił, że prawda.
– Założymy się?
– O co zakład?
– A jak to sprawdzimy?
– Pójdziemy do tego kościoła i zapytamy księdza.
– No i co, jak nawet powie, że prawda, to skąd wiesz, że tak było?
– Bo ksiądz nie kłamie.
– Może w to wierzyć, a to wcale nie musi być prawda.
– O co zakład?
– O gówno. Ja się nie zakładam.
– Bo się boisz, że przegrasz.
– Ja się boję?
– Pory ci się ze strachu trzęsą.
– A w ryja chcesz?
– Chcę, tylko spróbuj.

Mareczek z Kajem stoją naprzeciwko siebie. Najlepsi koledzy, najczęściej się biją, Kaju jest niski i krępy, a Mareczek jeszcze niższy i grubszy, uważaj Bulaju, bo jak dopierdolę, to... nie zdążył dokończyć, już Mareczek jest przy nim, już się zwarli, na boksy, dzieci odsuwają się, tworząc ring, Pająk biega dookoła, sprawdzając, czy walczą zgodnie z regułami, na razie w porządku, na pięści i coś w rodzaju zapasów, nie wolno drapać, szczypać, ciągnąć za włosy... nie wolno dusić za gardło, ale Kaju jakby o tym zapomniał, dusi Mareczka z całych sił, aż tamtemu oczy na wierzch wyłażą...

– Zaraz dostaniesz ode mnie w ryja, Kaju – mówi Pająk.

Kaju puszcza gardło przeciwnika, Mareczek jest na razie lekko oszołomiony, ale wraca do siebie, daje Kajowi fangę w nos, powtarzając:

– Wampir, Wampir, dusi, dusi.

Z tak brutalnie potraktowanego nosa kapie krew kap, kap, krople giną w trawie, wsiąkają w ziemię bez większego wysiłku, kap, kap, brodę przyciśnij do szyi i musisz mieć wysoko pod głową, kładą Kaja na kocu; leżąc sztywno, wyciąga z kieszeni spodenek wyświechtaną chustkę i przytyka do nosa, dziewczynki przynoszą wodę w butelce, leją na chustkę i obmywają Kajowi okolice nosa, Mareczek stoi i przygląda się akcji ratunkowej, jakby nie dusił, tobym mu w nos nie dał, mówi do Pająka, jesteście jeszcze pospolite gnojki, mówi Pająk z wyższością. Krew przestaje skapywać.

– Już zasycha – mówi Kaju.

Smarka w chustkę i ogląda resztki krwi.

Małe dzieci, które przybiegły oglądać widowisko, odchodzą znów do piasku, przechodząc z miejsca wypadku, relacjonują go sobie, tak jak potrafią, ale była czerwona ta krew, ale dostał, w nos, bo udusił, udusił go, tak go udusił, i Mały Gnój, brat Miry, zaciska palce na trzonku łopatki tak mocno, że aż pęcznieje i czerwienieje cały z wysiłku, a ja udusiłem biedronę, bo nie chciała do mnie przyjść, dlaczego nie chciała, a ja powiem twojej mamie, że udusiłeś biedronę, a mojej mamy nie ma, wcale jej nie ma, a jak będzie, wcale jej nie będzie, bo sobie poszła na zawsze, i stawiają znów babki, komu babeczkę, zjedz babeczkę, mówi do Kaśińki, ale dobra babeczka, mówi Kaśińka, udając, że je, chociaż nie tak bardzo udaje, bo dookoła ust ma wąsy z piasku, atam, to trochę piasku, zaraz nie zaszkodzi, mówi Blokowa, ocierając jej usta, ale nie jedz już więcej, kury jedzą piasek i czyszczą sobie tym żołądek, takie trochę zaraz nie zaszkodzi, Blokowa wyrzuca śmieci, od obiadu resztki, obierzyny i kwiaty, które zwiędły za szybko, fałszywie dane, myśli, wrzucając je do kubła, otrzepała Kaśińkę i wraca do domu, proszę pani, proszę pani, on się sypie piaskiem w oczy, woła brat Miry, zapiaszczoną ręką trąc powieki, Mira już biegnie na odsiecz, a Blokowa stoi i grozi palcem małemu chłopcu w fartuszku na gołych ramionach, zwanemu przez wszystkich Księżulo, bo mając niespełna rok, jeszcze w wózku, wyciągał rękę do pocałowania, a jego matka, trochę zwariowana, z radości, że się w ogóle urodził, bo tyle lat po ślubie i nic, ale pielgrzymka do Częstochowy zrobiła swoje, więc jego matka całowała go w tę tłustą rączkę, powtarzając do upojenia, mój Księżulo, mój słodki Księżulo, i tak już zostało.

– Nasyp mu też – mówi Mira i jej brat, nie czekając na nic więcej, goni z garstką piasku Księżula, tamten ucieka, więc Mały Gnój sypie mu z tyłu na głowę, Księżulo ryczy, Mira wraca na koc, nigdy niczego nie może wysłuchać

w spokoju, bo zawsze ten Mały Gnój coś wykombinuje, zawsze, niech matka sama się nim zajmie, co, ma dzieci, a potem co; siada na kocu i słucha, bo akurat Kaju opowiadał i w najlepszym momencie musiała tam polecieć, co było, pyta, no nic, w tym czasie dziadek dawał jej codziennie truciznę, głupi czy co, nie głupi, w małych ilościach, żeby ją uodpornić, szczepionka to też jest mała dawka trucizny, mówi Pająk, nie wiedziałam, no i daje jej codziennie po łyżeczce, bo się domyśla, że będą chcieli ją otruć, jak tylko wyjdzie, że ona dziedziczy po nim te pola diamentowe, pola diamentowe? pyta z niedowierzaniem Szprycha, tak, no przecież te diamenty nie rosną na krzakach, tylko się je wydobywa spod ziemi, ale było wiadomo, że tam było pełno diamentów, no i teraz, ten Micke się dowiedział podstępnie, bo się poznał ze służącą tego dziadka, ona była wierna, tylko że głupia, dosyć stara już, a jeszcze panna, to jak ten Micke jej powiedział, że jest piękna i że na nim wywarła wrażenie, to ona myślała, że on się w niej zakochał, i wszystko mu mówiła, co chciał, a on jej od czasu do czasu przyniósł prezent i niby chciał się z nią żenić, ale dziadek tej Katy zauważył, że ona się tak ubiera, ciągle robi jakieś miny, no i pyta, co się dzieje, to ona mówi, że przychodzi do niej narzeczony i już niedługo ona przestanie być służącą, tylko będzie wielką panią, jak on ma na imię, pyta ten dziadek, Micke. Ale on przybrał inne imię, ale dziadek był bardzo przebiegły i pyta, jak wygląda, nikt inny nie może to być, tylko Boby, no i postanowił zrobić na niego zasadzkę...
– I co, i co?
– Nie wiem, dopiero dotąd przeczytałem.
– Ale fajna książka, nie możesz pożyczyć?

- Nie, bo brat czyta i jak skończy, to zaraz musi oddać, tam są jeszcze inne rzeczy, bo to jest książka wydana przed wojną i chyba nie wolno jej czytać, nie mówcie nikomu.

- A o czym tam jest?

- Jeszcze nie wiem, bo jeszcze nic nie było.

- A jak się nazywa?

- „Pola diamentowe".

- A ja mam książkę też starą, nawet bez okładki, ale znam jej tytuł - mówi Szprycha.

- O morderstwach?

- No pewnie, nazywa się „U ołtarza Boga Słońca".

- Taa - mówi Pająk - taa, akurat ci wierzę, tak samo jak o tych zamienionych dzieciach, co opowiadałaś, a potem się okazało, że wszystko zmyślone...

- No to co, ale było fajne - mówią dzieci. - Niech opowie tę też, to co!

- Wszystko jest zmyślone, prawdziwe książki też - mówi Szprycha.

Ten nowy argument jest nieoczekiwany, wymaga zastanowienia, rzeczywiście, chyba tak jest, no, są czasem książki prosto z życia, ale to rzadko, raczej pisarz wymyśla, niech opowie, tytuł ma fajny.

- „U ołtarza Boga Słońca" dzieje się w Egipcie, w starożytnym, i tam wybudowali taką wielką świątynię, największą na świecie, na wierzchu z różowego marmuru, a w środku prawie cała ze złota, wszystko, co się dało zrobić ze złota, było złote, stała na wielkiej górze i wyglądała jak twarz człowieka, jakby w tej twarzy były takie wielkie oczy, to były okna...

- Taa, okna, akurat okna, szkła wtedy nie było, wcale nie wiesz - powiedział znów Pająk.

– Właśnie, że było, w tej książce było – Szprycha podniosła głos, żeby udowodnić swoje racje – było takie niebieskie, zupełnie inne niż nasze, z czego innego...

– To nie mów, że szkło.

– Jakaś baba do was dzwoni.

– To jest ta sama, co wołała Donię, w tym kapeluszu.

– Ciekawe, czego chce.

Wszyscy odwrócili się w kierunku drzwi, czekając na ciąg dalszy.

– Polecę posłuchać – powiedziała Szprycha.

– I przyjdź potem powiedzieć – poprosił Pająk.

– Nie potrzebuję. – Szprycha była obrażona.

– Jak nie po cebulę, to po czosnek, ojejku, że cię zgasiłem – powiedział Pająk tym razem pojednawczo.

– Nie mogłeś mnie zgasić, bo się nie paliłam. – Poleciała do drzwi i stanęła w pewnej odległości, przysłuchując się temu, o czym mówili.

Matka Szprychy zamknęła nagle drzwi. Kobieta została na zewnątrz, ale nie ruszała się z miejsca, jakby na coś czekała. Tym razem nie miała twarzy zasłoniętej woalką; uniesiona w górę oplatała kapelusz sterczącą, jakby usztywnioną i polakierowaną na czarno pajęczyną. Usta wymalowane ceglastą szminką w wysoko, prawie nosa sięgające rozmazane serce, otwierały się bez przerwy, jakby dalej coś tłumaczyła zamkniętym drzwiom. Wreszcie zrezygnowana przeszła pod okno pani Doni i zawołała: Paniii Doniuuu!!!, skarżącym się dziecinnie głosem, ale nikt jej nie odpowiedział.

– Pani Donia wyszła – powiedział Mareczek. – Wyszła z domu i dotychczas nie powróciła – dodał ponurym głosem spikera.

Dzieci roześmiały się.

- Pani Doniu! - zawołała mimo wszystko kobieta.

W oknie pokazała się staruszka i pokręciła przecząco głową.

- Kiedy wróci? - spytała znów śpiewnie kobieta.

Staruszka przyłożyła rękę do ucha.

- Kiedy wróci? - powtórzyła pytanie jeszcze głośniej.

Staruszka wzruszyła ramionami i schowała się za firankę, skąd zresztą była widoczna.

- Jak w operze - odezwał się Pająk. - I co? - zwrócił się do Szprychy.

- Powiedziała, że jest świadkiem pani Doni i będzie zeznawać.

Kobieta wyszła z podwórka niepostrzeżenie. Otworzyły się drzwi i matka Szprychy powiedziała ostro:

- Musisz wypić tran.

Szprycha wbiegła do domu, zostawiając uchylone drzwi. Dzieci podeszły i zobaczyły przez szparę w drzwiach, jak jej matka nalewa tran z butelki; widać było żółtą oleistą ciecz na łyżce; wlała ją do szeroko otwartych ust, w które natychmiast wepchnęła kawałek suchego chleba posypanego solą.

- Za piętnaście minut obiad - poinformowała córkę.

Szprycha miała załzawione oczy po przełknięciu tego paskudztwa.

- Chyba się porzygam, Ela powiedziała, że w TePeDe dają im tran w pastylkach, na wierzchu jest smak pomarańczowy i w ogóle się nie czuje...

- To jest niesprawiedliwe.

- Za to ona nie idzie do komunii.

- Ale jedzie sobie na kolonie nad morze - odezwała się Córka Stróżki.

– Ja też jadę nad morze na kolonie, od „Stalina" – pochwalił się Kaju.

– A my pojedziemy na wycieczkę, jak uzbieramy makulatury i złomu i wypłyniemy statkiem na pełne morze...

– Ciekawe, ile tego złomu musicie mieć.

– W zeszłym roku dałem na złom żelazko z duszą, bo myślałem, że jest już do niczego, a potem matka mi kazała przynieść je z powrotem.

Z góry zeszła Ela w lśniącej bielą bluzce i ostro czerwonej chuście zawiązanej w węzeł częściowo schowany pod kołnierzykiem.

– Idę na chór do Emdeku.

– A przyjdziesz?

– Jak przyjdę, to przyjdę.

Opalone łydki odcinały się od białych skarpetek i białych tenisówek, kiedy sprężystym krokiem przecięła podwórko.

– Obiad!!

– Na obiad!!!

Kaju pędzi jak krótkodystansowiec, zapomniawszy o kontuzji nosa. Z klatki wypada na niego z ujadaniem Perła, obskakując go nad wyraz zwinnie jak na taką starą sukę, utuczoną jak nieboskie stworzenie, Kaju opędza się od niej nogami, jeszcze nie widać Cholewkarza, w ostatnim momencie przed jego pojawieniem się zdążył kopnąć ją w mordę, że się przekulała cyrkowo, zaskowyczała, na szczęście była już na nogach, gdy na schodkach stanął Cholewkarz.

– Dzień dobry. – Kaju grzecznie się skłonił.

– Dzień dobry. – Cholewkarz był zamyślony, coś układał w głowie, bo poruszał brwiami.

Starsze dzieci poznikały, nie widziały więc pani Doni wracającej do domu. Oprócz papierowej teczki niosła bukiet małych różyczek w kolorze zabielanego barszczu gęsto oblepiających łodygę i dokładnie zakrywających liście.

Mały Gnój nie mógł usiedzieć chwili, objeżdżał więc podwórko na wyimaginowanym motocyklu, który niepostrzeżenie zamienił się w samolot. Rozpostarł ramiona, przechylając tułów na jedną stronę, coraz mocniej, aż wreszcie dotknął ziemi lewą ręką. Stanął pod murem na końcu podwórka i wołał dzieci do siebie.

– W Czarnego Murzyna, będę Czarnym Murzynem!!!

Stanęły przy pierwszej klatce, jedno przy drugim, w pewnych odstępach, jak na starcie.

– Kto się boi Czarnego Murzyna?

– Nikt! – zawrzeszczały, biegnąc. Starały się go omijać, a on uganiał się za nimi po całym podwórzu, aż w końcu złapał któreś.

Pani Donia przebrała się w fartuch i wyniosła dwa zwinięte w naleśniki dywany. Powiesiła jeden na żelaznym drągu, wyrównała końce i splunęła w ręce, pocierając je o siebie. Chwyciła wiklinową złocistą trzepakę, jakby uplecioną z ciasta na precle, i zaczęła walić z wielką siłą w niewielki kawał dywanu. Matka przyglądała się z okna trzepiącej córce, ale z trudem dostrzegła cokolwiek w tumanach kurzu, jakby dywan nie był trzepany od tysiąca lat.

Donia waliła rytmicznie trzepaką w rozwieszoną, nieokreślonego koloru szmatę w rytmie samby pap pap papapa papa pa pa pap pap pa papapa papapa papapa papap przestawała po każdej zwrotce, odpoczywała chwilę i waliła dalej, ale co dziwne, kurz nie przerzedzał się, lecz ciągle wzmagał; twarz pani Doni, spocona z wysiłku, była ciemnoszara, nareszcie kurz zaczął opadać albo ulatywać w niebo i matka z okna mogła spokojnie oglądać masywny tył córki.

– Ale nakurzyła – powiedział Pająk, kończąc papierówkę.

Przez ramię przewiesił siatkę od piłki wypełnioną dokładnie białymi, kruchymi jabłkami. Ich zapach unosił się dookoła. Rozdał wszystkim na podwórku po jednym. Były tak miękkie, że wgłębiały się pod naciskiem palca.

Szprycha wyszła z domu z jakąś obcą kobietą; była ubrana w odświętną niebieską sukienkę w białe groszki, w której chodziła do kościoła. Popatrzyła na podwórko, na dzieci jedzące jabłka, pokiwała ręką i poszła razem z tą nieznaną nikomu kobietą.

– Ciekawe, gdzie poszła.

– To jest jeszcze nic – Kaju zwrócił się do Pająka.

– Moja siostra... – i zaszeptał, bo musiała to być tajemnica.

– Korbola?

– Jak bonie dydy – przysiągł Kaju – już widać.

Podeszła do nich Ela, nie wiedzieć kiedy wróciła z tej zbiórki, i rozmowa została przerwana.

– Czy Mira przyjdzie? – spytała Ela.

– Może – powiedział Kaju.

– Morze jest głębokie i szerokie – na to Ela. – Miraaa, Miraaa!!

Mira na ułamek sekundy stanęła w oknie z palcem na ustach.

– Pewnie dostała wpierdol.

Pani Donia przy drugim dywanie zachłysnęła się kurzem i miotała się po podwórku, kasląc sucho i krztusząc się drobinami latającymi w powietrzu.

- No i co, Perełka? - powiedział Kaju tak sztucznie, że aż się skrzywił na dźwięk własnego głosu.

Perła minęła ich tym razem obojętnie, wlokąc za sobą swój flaczasty, nieproporcjonalny brzuch.

- Człowieku zachorowała, podobno ma trzydzieści dziewięć. - Ela była bardzo przejęta. - Jej siostra pożyczyła od nas termometr.

- Był lekarz?

- Ma zaraz przyjść.

- Nikogo nie poznaje i jej się zdawało, że jest mała i że idzie z ojcem do kościoła.

Pająk wysunął dolną szczękę do przodu.

- To nie będziemy dziś tak ryczeć.

Donia spluwała raz po raz, charkając z głębi gardła gęstą flegmą. Czyściła teraz dywan szczotką, wysupłując z niego bukieciki nitek połączone delikatnymi jak babie lato, miękkimi kulami kurzu. Wyrzucała je za siebie tak, że układały się w regularny wzór.

Człowieku ma przeszło osiemdziesiąt lat, myślał Pająk, umrze ze starości, cudów nie ma, lubił ją bardzo, znał ją, odkąd pamięta, tak samo jak topole na podwórku, była od zawsze, no trudno, na to nic się nie poradzi, ale przecież jego prababcia jeszcze żyje, a ma dziewięćdziesiąt cztery lata, może jeszcze żyć, nie musi ausgerechnet umrzeć, ale czuł, że sprawa jest już przegrana, że gdzieś się to zdecydowało, miał pewność, że tak się stanie.

Popatrzył w górę na spokojne, bezwietrzne topole, nic się nie dzieje, czarny ptak siedział na drzewie nieruchomy, sztuczny, błyszczący, jak z czarnego krzemienia.

Pająk podniósł okrągły, poręczny kamień. Zmrużył oko, długo celował, a potem rzucił, wyskakując wysoko, jak tylko potrafił. Kamień zniknął między liśćmi, a potem spadał powoli, obijając się o rosnące blisko pnia, pnące się w górę gałęzie. Spłoszony ptak ocknął się i przeniósł rozsądnie wyżej na sam szczyt niedosiężny, przekraczający możliwości chłopaka. Mira wyszła z domu z opuszczoną głową i podpuchniętymi oczami.

– Dziś taki dzień od rana.

– Człowieku jest chora – powiedziała Ela. – Ma przeszło trzydzieści dziewięć.

– Chodźcie na smrodyle do Wui, Jazończyk już pewno poszedł – zaproponowała Mira słabym, drżącym od długiego płaczu głosem.

– A co jej jest?

Ela opowiedziała jeszcze raz dokładnie to, co usłyszała. Pająk szedł w parze z Kajem. Umyślnie zostali trochę w tyle.

– A z kim?

– Z tym synem fryzjera, wiesz, co tu przychodził w spodniach i bluzie ze sprawnościami.

– Niech skonam, ten harcerz? W takich zielonych spodniach i bluzie ze sprawnościami?

– No.

– Ale jaja jak orzechy. – Pająk rozweselił się nieco, kiedy tylko wyszli z podwórka.

– Matka była z nią u lekarza.

– I co powiedział?

– Że urodzi za pięć miesięcy. W przyszłym miesiącu ślub.

– Ile ona ma lat?

– Za cztery miesiące skończy piętnaście, a on ma teraz szesnaście.

– Ja cię pierniczę.

- No, matka mówi, z pieluch w pieluchy, ojciec by ją zabił, ale już przeszło, ksiądz powiedział, że da ślub, ale muszą się zgodzić w sądzie na cywilny i trzeba świadków, że jest porządna, i matka Miry pójdzie świadczyć, i matka Szprychy też się zgodziła, Człowieku też miała iść, ale tak to nie pójdzie, twoja matka też.

Weszli na plac, gdzie dziewczynki obżerały się już smorodinami, podczas gdy oni gadali, stojąc w otwartej bramie. Ulicą przejechała dorożka z czarną opuszczoną budą. Siedziała w niej Szprycha z tą kobietą, z którą wyszła z domu. Tamta zapłaciła, wysiadły, Szprycha znów zamachała, zaraz przyjdę, i weszły do bramy.

- Ale bomba. - Kaju pokazał Pająkowi olbrzymią smorodinę, napęczniałą tak bardzo, że miąższ nie mieścił się w skórce, więc pękła wzdłuż, a jej brzegi podwinęły się i wyschły, ukazując soczyste ciemnożółte wnętrze.

- Niemożliwie słodka - zacmokał.

Wuja leżał pod samochodem niewiadomej marki, wyklepanym, pomalowanym domowym sposobem, przerobionym pewno z czterech różnych.

- Stary wrak - powiedział Pająk.

- No, ale jak go Wuja weźmie w obroty, to pojedzie.

Wuja leżał na wznak, wystawały mu tylko nogi w połatanych butach do roboty, bo Wuja miał wyraźnie rozgraniczone stroje do roboty, po robocie i na niedzielę.

- Mira, Pająk. - Szprycha nie widziała ich skrytych za krzakami w samym kącie placu, gdzie się przesunęli, zrywając tylko najdojrzalsze owoce.

- Byłam w radio - powiedziała bez żadnych wstępów - i wiecie, tam w studio, to się nazywa studio, tam gdzie się nagrywa, i nagrałam taką rzecz, jedną, ona mówiła, że to jest monolog...

- Mów po kolei - przerwał jej Pająk.

Siedli na wielkiej gumowej oponie.

- Ona przyszła do ojca, ona nas znała, to znaczy ojca jeszcze sprzed wojny, jak on miał dom mody, a ona była młodą panną, to przychodziła do tego domu mody z matką i tam kupowała różne rzeczy, i po wojnie dowiedziała się, że my tu mieszkamy, dopiero niedawno się dowiedziała, ona pracuje w radio jako redaktorka i robi różne audycje, takie z życia, no i dzisiaj przyszła, i mówi do ojca: takie mam zmartwienie, wie pan, bo mam zrobić audycję o jednym przodowniku pracy i o jego rodzinie, byłam u niego, to on owszem, jest całkiem do rzeczy, żona też, ale jego córka, a mają tylko jedną, no nie nadaje się, ciężka taka, jąka się, półdebilka czy co, nic nie potrafi powiedzieć, ani jednego zdania, i tak sobie teraz myślę, jakby mi pan swojej córki pożyczył, słyszałam, że taka elokwentna, i wymowę ma dobrą, może by chciała powiedzieć parę zdań, i w porządku, ojciec się zastanowił, i pyta, a co będzie, jak to wyjdzie, przecież to oszustwo, ale tam wyjdzie, nikt się nie pozna, z przodownikiem rozmawiałam, on mówił, ta moja dziewucha głupia jak cep, nie ma na nią rady, ani prośbą, ani groźbą, już się niczego nie nauczy, taka się urodziła, coś tam bo przy porodzie było z kleszczami, żona ciężki poród miała, to ona powiedziała temu przodownikowi, że weźmie jaką inną dziewczynkę, i on się zgodził, bo mówi, przynajmniej się nie będą ze mnie w robocie śmiać, i wtedy ona się zapytała, czy ja się zgodzę, i czy nie będę się bała mówić do mikrofonu, ale że nie ma czego się bać i że ona będzie przez cały czas ze mną, to powiedziałam, że dobrze, i poszłam do radia, tu za parkiem Wilsona, i ona po drodze mi mówi, wyobraź sobie, że masz na imię Marysia i że twój tatuś jest przodownikiem... - Pająk w tym momencie spadł z opony, tak się śmiał.

– No co z tego, co to takie śmieszne? I tam z nią weszłam do takiego pokoju, było tam dużo ludzi i przywitałam się z jednym panem, i zaraz poznałam go po głosie, to taki spiker, co ma taki przyjemny głos, i jeszcze byli inni, ona powiedziała, co i jak, i wszyscy się śmiali, potem mówi: a więc jesteś córką przodownika pracy, twój tatuś pracuje w Stomilu, jak myślisz, co może robić, jak wróci z pracy, to ja mówię: najpierw musi odpocząć i zjeść obiad, a my z nim siedzimy i on opowiada, co się działo w pracy, mama o tym, co w domu, a ja - co w szkole, jakie dostałam stopnie, no wszystko, potem on czyta gazetę, niektóre rzeczy głośno i mamie tłumaczy, bo mama się nie zna na polityce, a mój tatuś się zna...

– Taa, twój się zna, a skąd wiesz, że tamten się zna.

– Etam, prawie wszyscy mężczyźni się znają, no a później odrabiam lekcje, a on przegląda moje zeszyty, a jak skończy, to jest podwieczorek, na który mama daje upieczone, jeszcze ciepłe ciasto.

– A kiedy zdejmuje pasa i spuszcza ci manto?

– Mój ojciec mnie nigdy nie bije.

– Ale tamten łoił tę dziewuchę, sama mówiłaś, ani prośbą, ani groźbą.

– To wszystko jej powiedziałam, ona była zadowolona i poszła ze mną do takiego dużego pokoju z grubą szybą, jak akwarium, i tam był mikrofon, kiedy go włączyli, ja jeszcze przedtem po cichu sobie powtórzyłam, co będę mówić...

– Bez kartki?

- Bez, ona nie chciała, mówi, że tak będzie lepiej, że mogę się nawet zaciąć albo zastanowić, to będzie prawdziwsze, ale nie mam się bać, za szybą siedzieli...

- Mira, gdzie polazłaś, ty cholero, Mira. - Wołanie matki przerwało opowieść, czuło się, że jest wściekła, mimo że matka była na pozór spokojna. Mira wyszła zza krzaków jak najwolniej potrafiła i szła w jej kierunku. Nie podeszła jednak blisko, nie chciała widać znaleźć się w zasięgu ręki. Matka zaczęła mówić do niej tak szybko, że wyrazy zlewały się w jedno długie słowo-wyrzut, intonacja wznosząca osiągała szczyty, były w połowie podwórka, a jeszcze było słychać niezrozumiały ciurk jej mowy.

- Dostanie - powiedział Kaju - jeszcze raz dostanie.

- Nie, na pewno nie - sprzeciwił się Pająk. - Matka się wygada, to już jej minie.

Wuja wyszedł spod samochodu; był blady, niezadowolony i wysmarowany od włosów po czubki połatanych butów. Popatrzył na dzieci siedzące na oponie i poszedł do szopy. Stanął w otwartych drzwiach, wyciągnął z kąta butelkę piwa, otworzył zębem i przyłożył usta do szyjki, prawie się słyszało regularne łyki. Odstawił butelkę do kąta i podszedł do dzieci.

- Szprycha występowała w radio - pochwalił ją Pająk.

- A Wandzię Szczekaczkę widziałaś?

- Nie.

- Jak nie widziałaś Wandzi, to nieważne.

- Ona występowała za córkę jednego przodownika...

- Ale ten przodownik żyje naprawdę, tylko jego córka ma coś z głową i nic nie mogła wydusić, jak ją pytali.

- Uważaj, żeby cię nie wsadzili za oszustwo...

- Ale ja...

– Albo twojego ojca.

– Ale przecież tamten się zgodził, boby się z niego śmiali, jakby ta jego córka zaczęła gadać...

– Kiedy to będzie przez radio? – zapytała Ela, która dotąd siedziała w milczeniu.

Szprycha zawahała się przez moment, bo jeżeli Elżucha powie o tym ojcu, on wysłucha i dojdzie, że to oszustwo, Boże drogi, jeszcze mojego ojca... nie, Ela nigdy nic nie powiedziała, Ela jest fajna kumpelka, nigdy, pocieszyła się Szprycha.

– Co cię tak zamurowało? – powiedział Wuja.

– Nie masz się czego bać, w razie czego wszyscy zaświadczymy, że twój ojciec jest przodownikiem, spotkałem go niedawno w Wiedeńskiej, może coś wypić – w głosie Wuja czuło się szacunek – a potem wyszedł jakby nigdy nic, a tego, co z nim siedział, to wynieśli. – Wuja zaczął się śmiać na wspomnienie czegoś zabawnego.

– Niech Wuja powie – poprosił Pająk.

– Jak tego drugiego wynosili, to zaczął wierzgać i kazał się położyć na schodach, z boku, przed tą Wiedeńską, leżał i wołał: „Dolej mi wody, Zocha, dolej jeszcze wody, ale ciepłej, Zocha, dolej mi wody", bo mu się zdawało, że jest w kąpieli. – Oczy Wuja zaszły łzami.

– No powiedz, kiedy będziesz przez radio – naciskała Ela.

– W przyszły piątek.

– Ooo, to będę musiał naprawić kołchoźnik – powiedział Wuja.

– Zapłacili ci za to?

– Coś ty, za co?

– A co, za darmo umarło – powiedział Pająk i skojarzył to zaraz z pewnym faktem. – Człowieku jest chora.

- Co jej jest?

- Ma przyjść lekarz, nikogo nie poznaje, nawet swojej siostry, i jej się zdaje, że jest mała i że idzie z ojcem do kościoła, bo mówiła: jeszcze daleko, tatusiu?

- Patrzcie, jak to pod koniec wszystko wraca do początku, ale co potem, nie wiadomo, ci chcą materię, a ci chcą duszę, tak źle i tak niedobrze, na materię robaki czekają, a duszy nikt nie widział, ale to anioł nie człowiek - powiedział Wuja.

- Taa - zgodził się Pająk - taa, nic nie pomoże.

- Święty Boże nie pomoże. - Wuja poszedł po następną butelkę piwa.

- Ale powiedz, że też nie widziałaś Wandzi Szczekaczki - zmienił temat po powrocie. - Czemu ci nie pokazali?

- Bo ona mówi z Warszawy.

- Takie słońce, a Człowieku taka chora - powiedział Pająk w zadumie.

- Może ma jeszcze czas, co my możemy wiedzieć, każdy ma swoje pisane. - Wuja spoważniał i wrócił do roboty, chowając zamyśloną twarz pod samochodem, ale nawet jego wystające buty wyglądały niewesoło.

- Pójdę zobaczyć, czy lekarz przyszedł. - Ela nagle wstała.

Pająk i Szprycha w milczeniu jedli białe papierówki. Oboje myśleli o tym samym, o tym, co powiedział Wuja, że każdy ma swoje pisane. Pająk zastanawiał się nad sensem bycia traktorzystą, co dotąd było niepodważalne, a Szprychę dręczyła myśl, którą starała się odepchnąć, ale było to niemożliwe, ta myśl nie pozwalała jej cieszyć się udanym występem w radio, zresztą może rzeczywiście zaszkodzi ojcu...

– Coś bym ci powiedziała – odezwała się do Pająka, nie mogąc znieść już męczącej ciszy.

– No to powiedz. – Pająk przetarł oczy załzawione od słońca, które przeszło w tym czasie kawałek nieba i świeciło prosto na oponę.

– Ale ty mnie wydasz.

– Ja cię wydam, ciekawe.

– No, a jak było z tą książką?

– Eetam, tego mi wcale nie powiedziałaś, sam cię nakryłem.

– Bo to, że Człowieku umrze, to będzie moja wina.

– Ty chyba masz nie w porządku z głową.

– No to ci nie powiem.

– Przestań, jak zaczęłaś, to musisz skończyć.

– Musi na Rusi, a w Polsce, jak kto chce, bo ty się, ty zawsze, bo ja w nocy wymyśliłam takiego ptaka śmierci i myślałam o nim tak długo, aż go zobaczyłam, cały z płomieni gazowych, niebieskich, ale z zimnego gazu, i tak się go przestraszyłam, że aż musiałam nakryć się kołdrą na głowę, tak mi się jakoś zimno zrobiło, chociaż wiedziałam, że to nieprawda, że go wcale nie ma, że to ja sama wymyśliłam, ale to teraz, jak świeci słońce i tu siedzimy, to jest co innego, teraz tak nie myślę, ale w nocy, i te koty się tak darły, że nie wiem... – Szprycha przerwała, bo wstydziła się mówić dalej, chociaż wiedziała, że Pająk nie wyklepie.

– W nocy jest inaczej – przyznał Pająk. – Ja też mam inne myśli, ja się niczego nie boję, ale mam inne myśli, raz obudziłem się o trzeciej, bo mi się chciało sikać, poszedłem i jak wróciłem do łóżka, to nie mogłem tak od razu zasnąć, bo przychodziły mi takie myśli, chyba z tego zmęczenia i z tych ciemności, że myślałem, że mi szajba odbiła na amen, ale potem jakoś zasnąłem i nic, rano wszystko w porządku, jakby nigdy nic... - Pająk też nie chciał powiedzieć za dużo, więc znów umilkli.

- Ale ty nie możesz być winna, że ktoś umrze, to są głupoty - powiedział szybko, widząc, że Wuja znów zrobił przerwę w wylegiwaniu się pod samochodem. Musiał się tam rzeczywiście zdrzemnąć, bo na policzku miał odciśnięte fałdy, może zmarszczenia rękawa, albo coś innego, tworzące wzorek podobny do koronkowej poduszki.

- Elżucha poszła zobaczyć, czy lekarz już przyszedł.
- Szprycha odchyliła się do tyłu, opalając policzki.
- Co tam lekarz, lekarz już nic nie pomoże, chociaż...
- Wuja machnął ręką.
- Wuja, będą łożycha? - spytał Pająk.
- Jak przyjdą, to będą. - Wuja wstał, poszedł do szopy i nie wracał dosyć długo.
- Szuka, pewnie ci przyniesie.
- Może przyniesie.

Zobaczyli go, ale jego luźno, jakby bezwładnie zwisające szerokie dłonie były puste.
- Pewno nie ma.
- Pewno tak.

Wuja siadł przy nich na oponie, nic nie mówiąc. Pająk nie pytał. Po chwili Wuja wyciągnął z kieszeni kombinezonu roboczego cztery duże łożyska, takie, jakie były najodpowiedniejsze do zrobienia lalwy. Kieszeń sięgała do kolan, ale w szerokim, wielkim kombinezonie była zupełnie niewidoczna.
- Wystarczy? - spytał Pająka.
- Pewnie, że wystarczy - Pająk jeździł łożyskiem po dłoni, potem po ręce aż do łokcia - żżżżżżżżyyyżyżyżyżży-żyżyżyżyżyży, ale będzie lalwa, żyżyżyżyżyżyżyżyży.

Nadbiegła zdyszana Ela, ledwo mogła mówić, jak żołnierz niosący ponurą wieść w dramacie greckim.

– Już nic nie widzi, nic nie wie, ciągle tylko pyta, daleko jeszcze, tatusiu, czy jeszcze daleko, i narzeka, że ją nogi bolą, i tak w kółko, jej siostra płacze, posłała po księdza, bo lekarz powiedział... – Ela przerwała, żeby odetchnąć – że może ją wziąć do szpitala, ale i tak jej nie pomoże, bo zaraz będzie koniec, a siostra na to, że lepiej niech umrze w domu, ona będzie przy niej do końca, jak będzie czegoś chciała albo jak odzyska przytomność i zacznie poznawać, boby jej nigdy nie wybaczyła na tamtym świecie, że ją do szpitala oddała, i sama powiedziała do lekarza, wszystko słyszałam, bo drzwi były otwarte, że zaraz za nią pójdzie, bo co jej samej, pełno ludzi stoi pod drzwiami i czekają... – Napięcie spadło, usta Eli zadrżały i nagle zaczęła płakać.

– Chodźmy tam – powiedziała Szprycha. Przygryzła swoją czerwoną dolną wargę tak mocno, że zbielała, a potem, kiedy wymknęła się spod zębów, była jeszcze czerwieńsza i jeszcze bardziej nabrzmiała.

– Przyjdźcie potem powiedzieć, jak i co – poprosił Wuja.

Boś ty dobro nieskończone

Polecieli przez jezdnię, podwórko, po schodach po dwa stopnie, prawie pod same drzwi. Ludzie stali na pół-piętrze w skupieniu i rozmawiali szeptem. Lekarz już poszedł i siostra zamknęła mieszkanie, żeby Człowieku miała spokój.

Ojciec Eli wracający do domu zdziwił się, co to za zbiegowisko.

– Tata – powiedziała szeptem Ela – tata, Człowieku umiera.

Wyraz twarzy ojca nie zmienił się, lecz pogłębił jeszcze swą nieprzeniknioną nieobecność; mężczyzna postał chwilę, nie patrząc na nikogo, dając się oglądać z bliska, co zdarzało się nieczęsto, tak że stojąca obok niego matka Marycha miała ochotę pomacać rękaw jego marynarki, żeby sprawdzić, czy to prawdziwa gabardyna, na pewno tak, widać, że się nie gniecie, materiał jak mięso. Ubowiec stał tak wśród tych wszystkich ludzi i nagle powiedział:

– Pod Stalingradem, ile to milionów, niewyobrażalne ile, zginęło tyle, żeby teraz można było umierać ze staro-ści w swoim łóżku...

Urwał równie nagle, jak zaczął, jakby wygłosił jedynie część tego przemówienia, które mu wiecznie pulsowało w głowie, odwrócił się i poszedł do mieszkania.

– Czasem nawet jakby do rzeczy mówił – szepnęła Blokowa do matki Marycha.

– Jakie ma ordery, widziała pani? – Popatrzyła na Elę. Stała obok Pająka, głowę miała nisko opuszczoną i słuchała Szprychy mówiącej wprost do jej ucha.

– Przecież nie będziemy tu tak wiecznie stać – powiedziała matka Marycha. – Ja idę, jakby co, to pani da mi znać – zwróciła się do Blokowej, wiedząc, że ta nie odejdzie tak łatwo.

Inne kobiety, które zostawiły gotującą się zupę na ogniu, także poszły. Dzieci siadły na wewnętrznym szerokim parapecie okna klatki schodowej; i tak nie miały co robić, ani się bawić, ani nic...

Nagle drzwi mieszkania Człowieku uchyliły się i jej siostra jak żółw wysunęła głowę kiwającą się na starczej szyi.

– Dzieci – powiedziała cichym, drżącym głosem – chodźcie, dzieci.

Zeskoczyli z parapetu, nie bardzo rozumiejąc, o co jej chodzi. Blokowa także ruszyła w górę, ale staruszka zatrzymała ją ruchem ręki.

– Tylko dzieci, ona chce tylko dzieci.

Na palcach weszli do mieszkania. Szprycha z Elą ściskały sobie ręce, a Pająk pobladł, jakby sam był chory.

W pokoju okna były zasłonięte białymi firankami, żeby słońce nie świeciło w twarz Człowieku. Leżała oparta na wysokich poduszkach, w śnieżnobiałej pościeli i w białej śmiertelnej koszuli. Twarz miała przytomną, oczy otwarte, zupełnie przeźroczyste, niebieskie przy tych wszystkich białościach, i rumiane policzki. Porządnie uczesane, zupełnie białe włosy były przygotowane do drogi.

– Są dzieci – powiedziała siostra.

- Dzieci. - Chciała się trochę unieść na łokciu, ale była zbyt słaba. Popatrzyła więc na nie po kolei, przenosząc oczy z jednego na drugie, poznawała je, szepcząc ich imiona. - Pomódlcie się ze mną, Boże, choć Cię nie pojmuję, jednak nad wszystko miłuję, nad wszystko, co jest stworzone, boś Ty dobro nieskończone, ach, żałuję za me złości jedynie dla Twej miłości...

Wszyscy mówili znaną modlitwę powtarzaną tylekroć bez wrażenia, szemrana teraz przy łóżku Człowieku załamywała im głosy, zaciskała bolesne obręcze na krtani i pochylała coraz niżej głowy.

Kiedy Człowieku przestała się modlić; wstali z klęczek. Pająk nagle poczuł powagę chwili i to, że tej sceny nie zapomni nigdy. Wpatrzył się w umierające oczy Starej Pani Człowieku, tak samo jak Ela i Szprycha, dokąd to się idzie, jedni chcą materii, a drudzy duszy, przypomniał sobie Wuję i połyskujące srebrem łożyska.

- ...zawsze ci chleb... przyniosą - szeptała głośniej niż poprzednio. - Igłę nawłóczą, ale na oczy ty musisz...

Siostra Pani Człowieku chciała już wyprowadzić dzieci, niedobrze, żeby widziały śmierć, to jeszcze małe, ale już nie takie małe, już za dużo rozumieją, nie mogła nie spełnić życzenia siostry, chociaż uważała je za dziwne.

- Wy... tak, ale jakie to duże skrzydła, a on sam niewielki...

- Już wyjdźcie, dzieci - powiedziała siostra. - Ona już majaczy.

Dzieci wyszły po cichu.

- Co ona chciała powiedzieć? - zastanowił się Pająk.
- Ona coś chciała.

- Tego nie powiedziała, co chciała.

- Niech będzie pochwalony Jezus Chrystus - powiedzieli Pająk i Szprycha chórem.

Ksiądz idący po schodach z najstarszym ministrantem, któremu sypał się wąs, patrzył na Elę, a ta stała, nie pochyliwszy głowy. Ministrant zadzwonił i Szprycha z Pająkiem uklękli.

Ksiądz zapukał do drzwi, trzymając przed sobą monstrancję. Dzieci wstały, gdy wszedł do środka.

- Ostatnie namaszczenie, jeszcze zdążył - powiedziała Szprycha.

- Która może być godzina? - spytała Ela.

- Nie wiadomo.

- Polecę na ulicę do zegarmistrza i zobaczę.

W tej samej klatce od strony ulicy niedawno zagnieździł się zegarmistrz. W oknie malutkiego jak kiosk sklepu stał wielki ozdobny zegar z niewiadomej epoki, niewyraźnego stylu, prawdopodobnie skonstruowany z paru ocalałych zegarów z poniemieckiego szabru. Tarcza z wypisanymi gotykiem rzymskimi cyframi, ze wskazówkami pozłacanymi w kształcie długich płomieni świec, wskazującymi w tej chwili za kwadrans druga, umieszczona była w marmurowym białym kościele, jakby oblodzonym, i zajmowała jego całą ścianę frontową, zachodząc nawet na małe otwarte drzwi, w których nie wiadomo dlaczego stał krasnoludek w niebieskiej czapce o twarzy czerwonej i obrzękłej jak Pijus z dołu; trzymał oburącz wielkiego muchomora, na zagrychę, jak mówił Pająk, kiedy jego niebywałe podobieństwo z Pijusem zostało odkryte.

- Mówiła o ptaku - powiedziała Szprycha do Pająka.

- Wcale nie o ptaku, przestań sobie wmawiać, pamiętam dokładnie, powiedziała: „ale wielkie skrzydła" czy coś takiego...

- Tak, a potem: „a on sam nieduży", nie, odwrotnie, „ale duże skrzydła, a on sam niewielki", tak powiedziała.

- No więc widzisz, wcale nie o ptaku.

- To o czym?

Pająk pomyślał chwilę.

- A może zobaczyła anioła, nie? W chwili śmierci mogła zobaczyć.

- No, ale ona na pewno zobaczyła ptaka, anioł by nie mógł być niewielki, tylko ptak. Co jeszcze ma skrzydła?

- Co? Samolot, motyl, co? Fortepian też ma coś, co się nazywa skrzydło.

- Ale sam jest wielki, to był ptak.

- Jak sobie chcesz wmówić, to sobie wmawiaj, wmawiaj sobie, ile chcesz, ale się nie dziw, że w nocy będziesz się trzęsła.

- Żeby tak zdążyła się wyspowiadać – powiedziała Szprycha.

- Eetam, wyspowiadać, co to daje.

- Nie mów tak.

- Ja nie wierzę w Boga, chociaż matka chciała, żebym został księdzem.

- Ale przecież chodziłeś na katechizm i byłeś u komunii.

- No to co, byłem wtedy mały.

- A wtedy wierzyłeś?

- Dziecko nie wie, czy wierzy, czy nie, jak mu wmawiają, że Bóg jest, to wierzy, a jak mu mówią, że nie ma, to nie wierzy.

- Co ci się stało, Pająk, co cię ugryzło?

- Nic, nie wierzę i już.

- Ktoś ci musiał naopowiadać, pewno Marych.

- Marycha zostaw w spokoju.

- Na pewno on.

- Zastanów się, czy gdyby istniał Bóg, taki z katechizmu, dobry i sprawiedliwy, to czyby mógł patrzeć, jak Niemcy zabijają ludzi, wszystkich, nawet małe dzieci w obozach i gdzie popadnie...

- Nie mów tak.

- A widzisz, bo nie możesz na to nic odpowiedzieć, byliście z wycieczką w Oświęcimiu? Widziałaś, co tam jest? Te okulary, to wszystko?

- Tak - powiedziała Szprycha zupełnie pobladła - widziałam.

- No i co na to powiesz? Nie przyszło ci do głowy, że Pan Bóg nigdy by do tego nie dopuścił?

- Może chciał ukarać...

- Kogo? małe dzieci? niewinnych ludzi? a wszystko, co się dalej dzieje? Czy możesz wybaczyć Niemcom, tak jak katechizm każe wybaczać wrogom?

- Nie - powiedziała Szprycha - nie mogę.

- A więc widzisz, więc tym samym grzeszysz, jak pójdziesz do spowiedzi, to zapytaj o to księdza proboszcza, niech ci wytłumaczy.

- A mówiłeś o tym swojej matce?

- Po co, matka zaraz by zaczęła płakać, ręce by załamała, ale jak się zastanowi, to też przeklina wojnę, bo mój ojciec zginął, a jak przeklina wojnę, to przeklina Boga, i tak jest ze wszystkim, tylko że ludzie się boją żyć bez Boga, bo co by im zostało, nie każdy ma coś w zamian. Marych mówił, że gdyby ludzie... - Pająk zamilkł, bo zauważył, że się zagalopował. - A zresztą, możesz sobie wierzyć, ani ci to nie pomoże, ani nie przeszkodzi, tyle że czas tracisz na te wszystkie godzinki majowe, czerwcowe...

- Ja lubię śpiewać, tam można się wyśpiewać.

- To śpiewaj, ale mnie nie nawracaj.
- A co mówisz matce, jak masz w niedzielę iść do kościoła?
- Nic, wychodzę z domu i udaję, że idę.
- A więc musisz kłamać, widzisz, zaczynasz kłamać, bo nie wierzysz w Boga, i ci się wydaje, że możesz.
- A wiesz, że ty jesteś jednak głupia, ja nie chcę martwić matki.
- A jak się dowie, bo jej ktoś powie, to co, to będzie jeszcze gorzej, a zresztą ta wojna to nie jest wina Pana Boga, tylko ludzi, to Hitler był diabłem, czy tam wysłanym przez diabła, i on opętał cały naród...
- Z tego wynika, że twój Bóg jest słaby, bo mu nie dał rady, a w słabego też nie będę wierzył, bo to on ma mi być pomocą, a nie ja jemu...
- Nie wolno ci tak mówić o Bogu, bez Boga schodzi się na złą drogę, bo bez przykazań...
- Przestań pouczać jak stara babcia, bo ci nie do twarzy.
- A jak byliśmy u Człowieku, to się modliłeś tak, jakbyś wierzył.
- Bo to jest co innego, jak ktoś umiera i wierzy naprawdę.
- Jak byłam tam, była za piętnaście druga, ale jeszcze obejrzałam ten zegar - powiedziała Ela znienacka, ukazując się na półpiętrze. Szprycha popatrzyła na jej białe tenisówki.
- Ale że to tak od razu, wczoraj jeszcze chodziła, a dziś już ksiądz.
- Tak lepiej niż tak jak moja jedna ciotka. Miała takie zdrowe serce, że nie mogła umrzeć, bo umierała na co innego, a serce ciągle biło równo, męczyła się niemożli-

wie. – Pająk znał już ze słyszenia wiele śmierci, ale nie był nigdy tak blisko żadnej. W tym czystym białym pokoju, kiedy stali w pewnym oddaleniu od łóżka, na którym leżała Człowieku, rozglądał się nieznacznie dookoła, choć wiedział przecież, że zimny ptak, jakiego wymyśliła Szprycha, był za bardzo z bajki, tak chyba śmierć nie wygląda, jak byli ze szkołą w muzeum, to tam na ścianie wisiał wielki obraz, na którym młoda i ładna kobieta zamykała oczy klęczącemu starcowi, nie był pewien, czy ten starzec leżał, czy też klęczał, a ta chłopka, bo tak wyglądała, jak ze wsi, jakieś chusty miała czy coś, a w ręce trzymała kosę, taką samą jak zawsze trzyma kościotrup, ale to z kosą, to też, że ścina, nie, tak też nie może być, to dawno ludzie wymyślili, to jest tylko takie porównanie, może śmierć być małym dzieckiem, ale takim zupełnie małym, co to nic jeszcze nie rozumie i wybiera na ślepo, jakby już do czegoś porównywać, to chyba tak... ale też nie... nie... pewnie nic nie ma.

Pająk nie słuchał cichej rozmowy Eli ze Szprychą, patrzył przez okno klatki schodowej na podwórko, a właściwie na wysokie topole stojące bez drgnienia liścia, i znów zobaczył tego samego ptaka, to był na pewno ten sam, do którego celował, miał posiwiałe skronie i lśniące granatowe pióra, jednak ten ptak, pomyślał, ciągle tu siedzi, taki nieruchawy, co tam ptak może...

– Długo siedzi ten ksiądz – powiedziała Szprycha.
– Takie namaszczenie musi długo trwać.
– Może ona wyzdrowieje, może jeszcze nie umrze.
– Elżucha miała nadzieję, że wszystko skończy się dobrze, jak w książkach, które czytała.

Usłyszeli ruch w drzwiach i zobaczyli księdza wraz z ministrantem schodzących po schodach.

Zatrzymał się przez chwilę przy nich i powiedział jak z kazalnicy, tyle że trochę ciszej:

– Zasnęła w Panu, piękną miała śmierć tak jak i piękne życie. – Potem spojrzał na Elę od Ubowca i zupełnie normalnym cywilnym głosem spytał: – A ty, dziecko, należysz do naszej parafii, bom cię nigdy w kościele nie widział? Ela opuściła głowę.

– Nie, proszę pana.

Ksiądz zdziwił się, usłyszawszy to proszę pana.

– Bo ona, proszę księdza, chodzi do TePeDe – wyjaśniła Szprycha.

– Ach, do TePeDe – ksiądz jakby zrozumiał wszystko – jak do TePeDe, to inna sprawa – i nie odwracając się za siebie, odszedł drobnymi szybkimi krokami po schodach, ministrant towarzyszył mu jak cień, stojąc, kiedy on stał, rozdziawiając usta, kiedy on mówił, idąc, kiedy on ruszył, przez cały czas bez słowa wypełniał swoje obowiązki.

– Ten Zdzichu ma już wąsa – odezwał się Pająk i w tym momencie dopiero dotarła do niego treść słów wypowiedzianych przez księdza: „zasnęła w Panu", tak się pisze przecież w nekrologach, jeżeli ksiądz tak powiedział, to znaczy, że Człowieku już umarła.

Na palcach podeszli pod same drzwi, nasłuchując jakichś odgłosów śmierci. Ela zajrzała przez dziurkę od klucza, ale nic takiego nie zobaczyła, tylko sznurowane wysokie buty Starej Pani Człowieku, stojące bezczynnie w przedpokoju.

Wsłuchali się w śmiertelną ciszę panującą za drzwiami, nic jej nie mąciło.

– Chodźmy stąd – powiedziała Szprycha. – Idę powiedzieć matce.

Rozeszli się, rozbiegli po domach, niosąc wieść żałobną.

– Człowieku już umarła.

– Człowieku umarła.

– Umarła Człowieku. – Jak mali gazeciarze wykrzykujący sensacyjne tytuły. Spokojne, powolne życie podwórka napełniło się nową treścią. Zaraz też matki, ocierając w pośpiechu ręce, zdejmując fartuchy i przygładzając włosy nasycone zapachem gotującej się kapusty albo mydlin, biegły pomóc siostrze umarłej Pani Człowieku w przygotowaniu jej do podróży na cmentarz i dalej, dalej.

Matka Marycha zostawiła wszystko i była pierwsza na miejscu.

Zapukała swoją silną ręką, tak cicho, jak umiała, ale rozległo się to pukanie po całej klatce schodowej. Zanim staruszka otworzyła, już była tam Wojtyniaczka, Szubertowa, Szymkowiaczka, Majerowa, zaczęły ściskać zapłakaną kobietę, sakramentalne: „ach, jak pięknie wygląda, jakby spała", „każdemu życzyć takiej śmierci", „z podniesioną głową stanie przed Bogiem", zaraz ruch się zrobił wokół śpiącej na łóżku, na targ po kwiaty, kwiaty trzeba kupić, organizować, najpierw umyć, ona czysta jest, dziś ją sama myłam, to dobrze, to szybko ubierać, zanim zupełnie zesztywnieje, wprawne ręce obnażają bezwładne ciało, leci przez ręce, plecy ma jeszcze ciepłe, czy czasem ona nie, na pewno nie, przecież był lekarz i ksiądz, to dobrze, bo kiedyś, tu zwykła opowieść o letargu, o przebudzeniu w kostnicy, wszystko się już na świecie zdarzyło, nie śni się nawet człowiekowi, ile się zdarzyło, w przygotowaniach siostra przestała płakać, zapomniała o łzach i dopiero teraz, kiedy Człowieku już w świeżej bieliźnie czeka na czarną sukienkę, a ona trzyma ją w ręce, tę czarną suknię na czarną godzinę, właściwie to była dla niej, przecież siostra była młodsza, widać Bóg chciał mnie doświadczyć jeszcze i tym, że zostanę sama, myśli, trzeba otworzyć okno, mówi Wojtyniaczka.

Ciepłe, świeże podmuchy obiegają pokój, wyzwalając go z zapachu śmierci.

Z podwórka dochodzi letni, pachnący spokój. Nagle wpada niespodziane pat pat pat pat pat pat pat, ktoś wali z całych sił w dywan, trzeba powiedzieć, żeby przestali, w takiej chwili musi być spokój, matka Marycha wychyla głowę przez okno.

– To znów ta, dla tej nie ma nic świętego.

Pani Donia trzepie następny dywan z dużego pokoju, puszysty długowłosy dywan w róże, chiński, kupiła z poniemieckich rzeczy, bardzo przystępna cena, też mogliśmy taki mieć, myśli matka Marycha, ale nie chciałam po szkopach nic w domu, a ile mogli my naszabrować, szkoda mówić.

– Czy ona przestanie? – pyta głośno Wojtyniaczka.

– Zejdę i jej powiem.

– To się na nic nie zda, niech pani nawet nie idzie – mówi matka Marycha.

Walenie wzmaga się, wypełnia całe podwórko, a tu trzeba nad umarłą się pomodlić, jest już gotowa, świece się palą, kwiaty zaraz będą, Pająk pojechał po nie na rowerze, najładniejsze i największe pęczki, wiezie je powiązane sznurkiem z tyłu na bagażniku, pachną, że nic innego się nie czuje, tylko ten zapach.

Wjeżdża na podwórko, gdzie debatuje już społeczny komitet pogrzebowy: Blokowa, Stróżka i Kaczmaruszek ze spółdzielni na dole.

Zamknął sklep, ale pilnie patrzy na zegarek, bo mieli jeszcze dziś dowieźć masło, zostawił co prawda kartkę: „Jestem na dużym podwórzu", ale kto ich tam wie, tych konwojentów, ktoś pewno przyleci po niego jak co, bo kolejka już przed sklepem stoi i czeka.

Wiedzą, że Człowieku umarła, to rozumieją, a masła i tak nie ma i nie ma, naród zły, bo chleba nie ma czym smarować.

– Po ile kto chce – mówi Blokowa – no, najmniej pięć, dla najbiedniejszych, kto może więcej, to więcej.

– Ale koniecznie z żywych kwiatów – mówi Stróżka – te sztuczne są okropne, zaraz zbiorę i polecimy zamówić.

– Pan odłoży dla mnie dwie kostki, jakby przyszło.

– Może będzie beczkowe, nie wiem, co dadzą.

– To funt.

– Pójdę do Przedwojennego Dyrektora Tramwajów, żeby zamówił autobus pogrzebowy, dla lokatorów, dla niego to zrobią.

– Będzie wygodnie, bo tramwajem za daleko.

– Do wieńca musi być wstęga, co tam napisać, pójdę do nauczycielki spod czwórki, niech ułoży i nekrolog za jednym zamachem.

Stróżka już ma kartkę i ołówek i zaczyna chodzić od mieszkania do mieszkania, pieniądze uzbierane wkłada do specjalnego woreczka, każdy wpisuje sumę i podpisuje się na kartce. Stróżka ma duże trudności z pisaniem, nie ona jedna tutaj, na szczęście w domu są dzieci, trzecia, piąta, szósta klasa, już ładnie piszą.

– Nie hałasować mi dzisiaj – mówi do grupy dzieci stojących bezczynnie w bramie wjazdowej, między podwórkiem a ulicą, podwórko zwykle należało do nich, ale teraz pełno na nim ludzi, no i Człowieku umarła, nie ma w co się bawić, snują się więc, zachodzą do Wui, który przebrał się już w rzeczy na po robocie i chce pójść do domu, ale ociąga się jeszcze, dowiaduje się nowych szczegółów, że pani Donia trzepie dywan, nikt by nie trzepał, może nie wie, mówi Wuja, taa, akurat nie wie, wszyscy wiedzą, tylko ona nie, zawsze udaje, mówi Pająk, no, wynoście się z placu, bo zamykam bramę, mówi Wuja.

Widzą Kaczmaruszka biegnącego pędem, o ile przy jego niskim wzroście i wielkiej tuszy to jest możliwe, napęczniałego do czerwoności z wysiłku, biegnącego do sklepiku, bo jednak przywieźli masło.

– Masło, masłooo!

– Maasło przyjechałooo!

Kaju ściska w ręce pieniądze na dwie kostki. Odliczone, żeby było szybciej. Wszyscy mają odliczone. Kaczmaruszek zwija się, jak może, odbierając towar. Jest w kostkach, to znacznie łatwiej się sprzedaje, dobrze, ja stałam pierwsza, mówi stara baba z wielką kurzają na czubku nosa, z której wyrasta pęczek czarnych kręcących się włosów, ja za panią, a ja za panią, niezorganizowana kolejka siedząca dotąd po okolicznych murkach formuje się w pojedynczy długi ogon, porządek musi być, z daleka sunie Czołg na swoich grubych nogach, jeszcze jedna bez kolejki, mówi Kurzaja, niech pani tak nie mówi, kazałabym pani tak chodzić, oburza się inna, pewnie, niech pani uważa, żeby pani Pan Bóg nie skarał, ale się też ta Człowieku zawinęła, mówi któraś spod siódemki, która dopiero teraz usłyszała najnowszą wiadomość, jak to też jest, niech pani powie, pytanie pozostaje bez odpowiedzi, bo właśnie odjechali konwojenci, a Kaczmaruszek zdjął koszulę spod fartucha nie pierwszej białości i zaczyna sprzedaż.

– Kostkę, dwie kostki, kostkę, kostkę, kostkę, dwie kostki, kostkę.

Szprycha wpadła w swoją kolejkę obok Pająka.

– O, narzeczony zajął miejsce – mówi Mareczek z końca kolejki.

– Nie bądź taki mądry, jak stoisz daleko – mówi Pająk.

Szprycha zarumieniła się, pierwszy raz ktoś powiedział o Pająku narzeczony, to tak jakby o niej narzeczona, głupi ten Mareczek, ale, no, przyjemnie, szkoda, że już nie ma Człowieku, Pająk ciągnie ją za włosy, rozwiązuje wstążkę, wpuścił ją przed siebie, a teraz z tego korzysta, kup sobie klatkę, mówi do niej, a kiedy Szprycha odwraca się trochę obrażona z powodu tej wstążki, którą teraz musi wiązać, to wypada jej moneta i szukają, boby jej przez niego nie starczyło, a miała odliczone, na szczęście jest, połyskuje tam, no dobrze, że jest.

– Kup sobie klatkę i zamknij tego swojego ptaka.

Szprycha wzrusza ramionami i odwraca się od niego, po co mu powiedziała, niepotrzebnie, a mówił, że nie wyklepie, nawet jak nie wyklepie, to będzie ją prześladował, ale Pająk nie miał nic złego na myśli, po prostu tak żartuje, to są jego głupie dowcipy, trzeba się przyzwyczaić, trudno.

Kolejka posuwa się dość szybko, jak już jest, to jest, najgorsze to wyczekiwanie przed sklepem, mówi matka Miry, ciekawe, dlaczego nie przysłała Miry po masło, dziwi się Pająk, coś się tam u nich dzieje, ale nie wiadomo co, bo nad ich rodziną jak przekleństwo wisiało zawsze przysłowie: „Jest to cnota nad cnotami trzymać język za zębami", wszystkim to w domu mówią, ale nikt się nie przejmuje, tylko Mira taka tajemnicza, jakby nie wiadomo co, matka Pająka też stale to powtarza, ale mówi, że to teraz takie czasy, matka Szprychy też, trochę inną wersję tego samego: „Nie powiadaj, wole, co się dzieje w szkole, i nie mów nikomu, co się dzieje w domu", takie tam hasła, i tak się mówi, i tak, czego się tak boją, przecież tak i tak się wie, komu można powiedzieć, u nas na podwórku można każdemu.

– Spać to możesz w łóżku – mówi nagle Kaczmaruszek, bo Szprycha już kupiła, a Pająk posuwał się popychany od tyłu, ale nie zauważył, kiedy doszedł do lady, kładzie odliczone pieniądze. Kaczmaruszek zgarnia je do szuflady, nie licząc, naród uczciwy, nie zdarzyło się jeszcze, żeby ktoś oszukał tak wprost, czasem coś zginie, ale od tego są macherzy, tych to on już zna, ale tak to nie, następny, proszę, proszę, kostkę, dwie, już widać dno, nie starczy dla wszystkich, powinien dawać po jednej, mówią ludzie z końca kolejki.

Szprycha wraca do domu z kostką masła. Pająk idzie za nią. Razem wchodzą na podwórko. Słychać podniesiony głos pani Doni.

– Pan musi pójść ze mną do piwnicy, ze mną i z moim świadkiem. – Pani Donia skrzywiona złością, z ceglastymi wypiekami, trzyma pod rękę damę w woalce.

– O Jezu – mówi Szprycha do Pająka – ja nie idę teraz do domu. – Stają w bramie wjazdowej, ukryci za węgłem.

– Proszę pani – tłumaczy spokojnie ojciec Szprychy – tam nie ma nic do pokazywania, ma pani swoje klucze i niech pani idzie tam sama ze świadkiem.

Świadek na razie milczy. Widać bujny profil jej biustu połyskujący jedwabiem czarnego płaszcza. Mówi coś po cichu do pani Doni, ale ona nie chce nawet wysłuchać do końca, kręci głową, macha ręką i dalej wykrzykuje to swoje: pan musi, ja pana zmuszę.

– Mnie pani do niczego nie zmusi – odpowiada ojciec Szprychy – do widzenia pani, nie mam czasu – i chce zamknąć drzwi, ale pani Donia jest szybsza, wkłada stopę w bucie na prawdziwym korku między drzwi i choć on ściska ją mocno, nie ustępuje.

– Pani nie ma prawa stawiać nogi w moim domu – mówi już zdenerwowany ojciec Szprychy.

Świadek poprawia kapelusz. Jest to tym razem mikroskopijny toczek w kolorze fioletowym owinięty czarną pajęczą woalką z przodu spływającą na czoło i częściowo na oczy.

– Aktorka ze spalonego teatru – mówi Pająk. – Ale wygląda.

Na podwórko wkracza Blokowa.

– Pani jako Blokowa jest świadkiem, że nie chcą mnie wpuścić do piwnicy – mówi uroczystym głosem pani Donia.

– Ja nic nie wiem, złociutka – tłumaczy się Blokowa swoim specjalnie na takie okazje słodzonym głosem. – Ja właśnie wracam, zamówiłam wieniec, nasza kochana Pani Człowieku umarła...

– Ja się bardzo śpieszę – mówi świadek świszczącym metalicznie głosem. Naciąga niciane, zrobione z kordonka rękawiczki o dużych dziurach, przez które widać jej białą tłustą skórę.

– Dobrze, ale pan to popamięta – odgraża się Donia.

Bierze znów świadka pod rękę i obie odchodzą. Świadek milcząc, a pani Donia wygrażając głośno.

– Patrz pan – mówi Blokowa do ojca Szprychy – to, że umarł człowiek, nic a nic ją nie obchodzi.

– Sryt Madryt – kończy ojciec niesłyszany przez Szprychę i Pająka, którzy uciekli natychmiast, gdy tylko obie baby ruszyły tym jakby polonezem, pod rękę przez bramę wjazdową, naradzić się, co robić dalej.

Potem Szprycha wpadła do domu oddać masło i zaraz razem z Pająkiem wylecieli przez klatkę numer siedem zobaczyć, czy czasami nie poszły zwiedzać piwnicy. Najpierw wyjrzał Pająk.

– Ty się nie pokazuj, bo jeszcze powie, że ojciec cię wysyła na przeszpiegi – mówi Pająk, ostrożnie pokazując tylko czubek nosa. – Są, stoją przed drzwiami piwnicy, ta w tej woalce coś mówi, ale nic nie słyszę, a Donia coś pokazuje, ale jaja, tamta odchodzi, Donia ją łapie za rękaw i szarpie...

Szprycha znów pomyślała o Starej Pani Człowieku i jej ostatnich słowach. Pani Donia i świadek niewiele przy tym znaczyły. Skrzydła tak wielkie, choć sam wcale nieduży, to nie mogło być nic innego jak ptak... Po schodach idą kobiety, po jednej, po dwie, idą modlić się przy zwłokach, pierwsza wchodzi babcia Miry, stara, na nic wysuszona Matka Różańcowa, zawsze w procesji przy obrazie przed samym baldachimem idzie na Boże Ciało, tylko że wtedy jest inaczej ubrana, cała na czarno, a włosy po świeżej trwałej ondulacji, przedział na środku, po bokach fale kanciaste, jak ze srebrnej blachy, za uchem wpięta bardzo ciemnoczerwona róża, teraz zasuwa szybko po schodach, chociaż jest stara, a w procesji to idzie tak tip-top-tip-top-tip-top, oczy w słup, w ręce trzyma wstęgę zwisającą z girlandy świętego obrazu, a przed matkami różańcowymi ministranci w czerwonych pelerynkach, w czarnych, haftowanych koronkowych komżach, jeszcze wcześniej dziewczynki w bieli z płóciennymi sztucznymi liliami i chłopcy w granatowych ubrankach ze świecami, i małe dziewczynki po krakowsku sypią kwiatki, długa jest taka procesja, jeszcze księża z różnych kościołów, czasem biskup wygłasza kazanie przed ołtarzem, i bamberki w marszczonych spódnicach, starsze kobiety, ale mocno ściągnięte w pasie, a...

– Uciekła jej, ale wyrywa – śmieje się Pająk – a ona ją goni, bo się skicham, rekord na setkę, zobacz, możesz wyjrzeć, ona nie patrzy.

Szprycha ogląda bieg pani Doni za świadkiem, tłusto klapie, trzęsie się jej ta tłusta dupa i te cycki ohydne, to już lepiej nic nie mieć, potem na starość te duże tak wyglądają...

– Ale raszpla – mówi Pająk z pełnym satysfakcji obrzydzeniem.

Po schodach idą następne stare kobiety, te najstarsze mają najwięcej czasu, żeby się modlić przy zwłokach, codziennie rano idą na mszę do kościoła, do komunii świętej przy głównym ołtarzu, klękają przy balustradzie i czekają z wyciągniętymi językami, aż ksiądz zrobi mały krzyżyk hostią trzymaną w ręce i położy płaski opłatek.

– Same dewoty – komentuje Pająk.

– Po co ich tam tyle, Człowieku wcale nie była taka jak one, jak ta stara Pokrywa, idzie niby taka chora, tak się trzęsie ze starości, głowa osobno, ręce osobno, a jak czasem weźmie laskę, jak walnie, to Kaju miał przez dwa miesiące siniola na czole, a w kościele to różaniec na ręce założony, oczy w górę, tam gdzie na suficie namalowany jest Bóg Ojciec do połowy, z wyciągniętymi rękami, jakby wychodził z chmury, i szu-szu-szu-szu-szu-szu, i ojcze-naszki i zdrowaśki...

Na podwórku panuje zupełna cisza. Dzieci siedzą w domu, bo matki nie wypuszczają, żeby nie hałasowały przed oknami Człowieku, ale to tylko na razie, do wieczora by w domu nie wytrzymały, już teraz słychać od czasu do czasu podwyższone złością głosy: jeszcze raz mi to zrobisz, bo jak cię...

– Mira mówiła, że potem przyjdzie.

– Kaju też.

– Mareczek zejdzie, jak się naje.

– Elżucha na pewno przyjdzie.

– No.

– To opowiesz tę książkę o tym bogu w Egipcie?

– Teraz to mnie możesz pocałować w nos.

– Proszę bardzo – mówi Pająk i usiłuje pocałować Szprychę w nos, ona zaczyna się wykręcać, siłują się. – Bo ci zrobię pokrzywkę – straszy Pająk.

Nie zauważają Blokowej, która z odpowiednim wyrazem refleksyjnego smutku zmierza, aby w imieniu Komitetu Blokowego pomodlić się przy zwłokach.

– Że też wstydu nie macie – mówi boleśnie, ani na chwilę nie zdejmując z twarzy uroczystej miny – po tych bramach tak wystawać.

Schodzą na podwórko i siadają na trawie za krzakami.

– Kto wystaje po bramach? – oburza się Pająk. – Lepiej niech pilnuje swojej córki.

Wzrusza ramionami, wszyscy wiedzą, jaka jest ta jej Bacha, wieczorami z żołnierzami przychodzi pod bramę, a potem co w bramie, to lepiej nie mówić, nieraz Blokowa wylatywała i biła ją po pysku, ale to nic nie pomaga i zawsze z żołnierzami, bo są podobni, każdy w mundurze wygląda tak samo i można wmawiać sąsiadom, że to jeden i ten sam narzeczony, ciekawe, pod czapką ogolona głowa, to włosów nie widać, to wszystko jedno.

– Pewno – mówi Szprycha – zawsze tak jak mówił ksiądz: u kogoś w oku widzi źdźbło, a u siebie belki nie zauważy...

– No, a Kaju widział, jak... ale ci nie powiem, bo ty nic nie wiesz.

– Ja, ja nic nie wiem?

– No, ty jesteś naiwna, wiesz, jak się dzieci robi?

Na takie pytanie wprost rumieni się, robi się jej gorąco, a w oczach stają łzy, nic na to nie może odpowiedzieć, bo co mu powie, jak nie wie, coś tam słyszała, śpi przecież obok rodziców w podwójnym łożu, oni w jednym, ona sama w drugim ogromnym, tak szerokim, że może obie ręce rozłożyć jak na krzyżu, dziecko musi wygodnie spać, to jest podstawa, mówi jej matka, i kiedyś słyszała coś, ale wstydziłaby się o tym mówić, ani razu nie spojrzała w tamtą stronę, a potem zastanawiała się, czy ma grzech i czy z tego trzeba się spowiadać, ale nie, przecież nie podsłuchiwała, zresztą, jeden ksiądz, już odszedł z parafii, bo to się potem wydało, taki był surowy, raz wyszedł z konfesjonału i jedną dziewczynkę uderzył w twarz, przy wszystkich, a potem się okazało, że wypytywał dziewczynki tylko o takie rzeczy, a czy nosisz ciepłe majtki, a czy mężczyzna cię dotykał i jak to było, czy przez materiał czy bezpośrednio, niektórzy księża są tacy, a czy miałaś myśli nieskromne, o to też pytają chłopaków, ale żeby tak ksiądz miał pytać, czy cię mężczyzna dotykał, aż się wierzyć nie chce, a potem się okazało, że sam je prosił do salki i sam to robił, i doszło to aż do biskupa, i musiał odejść z kościoła, ale żeby ten Pająk tak ją zapytał, co on sobie w ogóle myśli, to świństwo.

Szprycha wpatruje się w jeden punkt w ogrodzie za siatką, nie patrzy wcale na Pająka, tylko na ptaka, który siedzi na morelowym drzewie w zupełnym bezruchu.

Oczy Pająka szukają tego punktu, znajdują go, to czarne ptaszysko nas prześladuje, myśli Pająk, ani to kruk, ani wrona, a może wrona, tylko trochę większa i siwa, to nie wygląda już na wronę.

Szprycha wstaje i idzie w kierunku domu, jakby była sama za krzakami, nie patrzy na Pająka, nie odzywa się do niego, idzie, jakby połknęła kij.

– Przyjdziesz?! – woła za nią.

Nie odwraca głowy, udaje, że nie słyszy, ma taki sposób obrażania się, one wszystkie tak robią, ale przyjdzie, przyjdzie, pociesza się Pająk. Masło rozmiękło w słońcu, musi je zanieść na górę, zwleka się niechętnie, patrząc na ptaka. W oknie Starej Pani Człowieku wisi białe prześcieradło, jeszcze dziś nie przyjadą z trumną, najwcześniej jutro, na razie będzie leżała w domu, jej siostra nie zmruży oka, baby będą siedziały u niej całą noc, to chyba lepiej, jakoś raźniej, chociaż to jest jej siostra, była jej siostrą, ale zawsze nieboszczyk to nieboszczyk, samemu z martwym na pewno nie jest przyjemnie, tak też nie jest przyjemnie, ale zawsze, Pająk zastanawia się, czy nie zrobił kiedyś czegoś złego Człowieku, nie, nigdy, może jak był mały, ale nic takiego, zresztą jej nikt nic takiego nie zrobił, bo ona... Będzie pogrzeb, trzeba będzie pójść, chociaż czy to komu co pomoże, no ale, tak już jest, zaniesie teraz to masło, już się zrobiła taka mazia, a potem zacznie robić lałwę, ma te łożycha od Wui, dziś ją zacznie, bo ten dzień jest taki, że nic się nie chce, ale dobrze, że tak nagle, przynajmniej się nie męczyła...

Podwórko opustoszało zupełnie, kiedy Pająk zniknął w drzwiach klatki schodowej. Biały gołąb daremnie rysuje pazurami parapet okna Człowieku, nie ma okruchów ze śniadania, bo nie było śniadania, nie było obiadu, siostra Człowieku zapomniała o jedzeniu, bo śmierć ścisnęła jej żołądek, ale pamiętają o tym kobiety, które niejedno przeżyły i wiedzą, jak należy się zachować i co robić w każdej sytuacji: matka Marycha niesie mały garnuszek rosołu, odlała go z wielkiego czerwonego garnka, w którym gotuje na dwa dni, podgrzeje się, żeby staruszka zjadła coś ciepłego, powiedziała do Marycha, który wprowadzał właśnie motor na podwórko i spotkał matkę z tą przykrą nowiną, szkoda jej, bardzo szkoda.

– Wszystko masz uszykowane, aby jeść.

Z drugiej strony wychodzi Stróżka z woreczkiem pieniędzy i kartką.

– Wie pani, że Ubowiec dał pięćdziesiąt?

– Nie – mówi matka Marycha – niech pani nie mówi!

– Patrz pani, jak to czasami jest, nie wierzy, a na wieniec da więcej niż niejeden wierzący.

– No, a też lekko nie ma, co on tam może mieć, rentę chorobową.

– Może dziewuchę zacznie na katechizm posyłać.

Idą na górę, jedna z woreczkiem, druga z garnuszkiem, dogania je Blokowa, wszystko załatwiła, wieniec na pojutrze, i tak wcześniej do pogrzebu nie dojdzie, autokar Przedwojenny Dyrektor Tramwajów obiecał załatwić... Szmer cichej modlitwy dolatuje z pokoju, głosy śpiewne w zapachu kwiatów monotonnie senne, oczy przymknięte, zesztywniałe palce wyczuwają gładkość koralików różańcowych, jedne różańce drewniane, inne z kości słoniowej, szklane, ale wszystkie gładkie od dotykania wieloletniego, stare są te różańce, niektóre starsze niż ich właścicielki, też niemłode; kiedy do pokoju wchodzi Blokowa, babcia Miry podskakuje przebudzona z modlitewnej drzemki, jako i my odpuszczamy naszym winowajcom, i nie wódź nas, Blokowa trąca w ramię siostrę Człowieku, chodź pani na chwilę do kuchni, tak nie można, umarli to umarli, a żywi muszą jeść, tak już jest, no po łyżce ciepłego rosołu, żeby kto wiedział, toby się z kury ugotowało dla nieboszczki, ale co by to tam pomogło, no niech pani nie mówi, rosół jest zawsze dobry, na każdą chorobę można jeść, staruszka przełyka złoty płyn, patrzy w oczy tłuszczu okrąglejące ze zdziwienia i ogarnia ją senność, chyba z tego ciepła, co się rozchodzi po całym ciele, powinna się zdrzemnąć, czeka ją jeszcze cała noc.

Późnym zmierzchem Szprycha wyszła na podwórko z małym stołeczkiem. Przez szparę w drzwiach zobaczyła wcześniej, że Pająk, Ela, Mira, Kaju, Mareczek, Włodas i Córka Stróżki siedzą już za krzakami.

Ela wybiegła jej naprzeciw.

– Wiesz co, dostaniemy coś po Człowieku.

– Kto?

– No my, ty, ja i Pająk.

– Coś ty? Kto ci to powiedział?

– Jej siostra.

– Co?

Pająk podszedł do nich.

– No, mamy podobno dostać.

– Ale co?

- Ja dostanę szablę, co wisiała tam na ścianie, Elżucha ma dostać lustro...

- Może widziałaś - wtrąciła Ela - zawsze tam stało, na takim małym wysokim stoliczku, na cienkich nogach, takie lustro w rzeźbionej ramie, kryształowe, jej siostra powiedziała, że kryształowe...

- A ty masz dostać - przerwał Pająk - sekreterę.

- Jaką sekreterę?

- To jest to duże biurko, co wygląda jak pianino, z zasuwaną taką... - Ela chciała opisać dokładnie, ale sprawiało jej to trudności - no zasuwa się taką jakby klapę, ale ona się zgina na okrągło, bo jest ze szczebelków, no zresztą widziałaś, od razu po pogrzebie jej siostra nam to da, tak chciała Człowieku.

- Ale dlaczego?

- No bo tak.

- Ja już wiem - Szprycha przypomniała sobie mebel, który oglądała, ilekroć nawlekała igłę Starej Pani Człowieku - to jest to, co miało te szafki po bokach i na nich z jednej strony był wyrzeźbiony jeleń, takie płaskie, ale trochę wypukłe.

- Płaskorzeźba - powiedział Pająk.

- No, a z drugiej sarna i szuflady tam są z takimi złotymi uchwytami...

- A ta szabla jest podobno pamiątkowa, bo nią jakiś dziadek walczył w 1863...

- Tak dawno?

- No, wiesz, co wtedy było? Z historii Polski?

- Nie - powiedziała Szprycha - myśmy jeszcze tego nie przerabiali.

- Powstanie styczniowe.

- Ale takie nadzwyczajne rzeczy i żeby tak rozdać?

– Jej siostra też się dziwiła, ale mówiła, wolę zmarłej trzeba spełnić, nic nie pomoże.

Kaju, Włodas i Mira grali w cipa na usypanej górce żółtego piasku. Wygrywał Kaju. Nóż w jego ręce sam chodził, jak go podrzucał, zawsze trafiał w sam środek kopca i tkwił w nim pionowo i wszystko jedno, czy przykładał go do dłoni, do palca, łokcia, brody, czoła czy głowy, bo zrobienie kapusty nożem umieszczonym między palcami było bardzo łatwe, najłatwiejsze, to umiały już nawet najmniejsze dzieci, ale przy robieniu cipka moment skupienia był niezbędny; czubek noża, ale sam czubeczek, trzymało się z całej siły opuszkami palca wskazującego i kciuka, poruszało się nim w przód i w tył, kołysało do siebie i od siebie, a potem wyrzucało w górę, w taki sposób, żeby koziołkował i w końcu stanął w piasku pod kątem nie mniejszym niż grubość dwóch palców, grali w cipa, ale słyszeli, jak Pająk i Elżucha rozmawiają ze Szprychą, żałowali, że nie było ich wtedy na schodach, bo może im też by coś skapnęło, Kaju widział tam nawet coś dla siebie, taki stary budzik z dwoma dzwonkami po bokach, no ale Pająk i Szprycha najczęściej chodzili do Człowieku, Ela też, bo mieszka naprzeciwko, ona ich najwięcej lubiła, mówi Kaju, no i tak się złożyło, że oni byli, ja też jej czasem nawlekałam igłę, Córka Stróżki ma głos trochę zawiedziony.

– A ja bym wcale nie chciała przy tym być – mówi Mira.

– Miałaś opowiadać – zwraca się do Szprychy Kaju.

– Ale dzisiaj? – dziwi się Szprycha.

– Opowiadaj, bo ja niedługo wyjeżdżam na kolonie – mówi Ela.

- Ty masz dobrze. - Córka Stróżki jest niezadowolona, ma to w głosie, we wszystkim, co mówi, i w czerwonym wydatnym nosie, który jeszcze się wydłużył.

- Obiecałaś.

- Powiedziałaś dopiero tytuł i o tym kościele z marmuru.

- Ołtarz Boga Słońca czy coś takiego.

- U ołtarza Boga Słońca - poprawiła Szprycha.

- Żebyś ty zaczęła, to naprawdę trzeba cię prosić jak królową.

- No to mówiłam, że ta świątynia z różowego marmuru stała na wzgórzu i wyglądała z daleka jak twarz, bo miała na przodzie zaokrąglenia i była różowa, a do tego dwa okna z niebieskiego czegoś takiego dziwnego, ani to szkło...

- Mówiłem, że nie było szkła? Mówiłem.

- I wszyscy się jej bali, jak słońce świeciło z góry, to oświetlało jej czubek, bo dach miała taki jak przy piramidzie, ale ze złota i blask od tego szedł, że ci ludzie, co mieszkali nawet bardzo daleko, to padali na twarze, i tam w tej świątyni był ołtarz, który wyglądał jak słońce, też cały ze złota. To była okrągła tarcza wielka taka, jak - poszukała oczami czegoś, do czego mogłaby porównać wielkość tarczy słonecznej - jak krata w naszej bramie, otoczona promieniami wyrzeźbionymi w złocie. Na każdym promieniu był wypisany po egipsku...

- Hieroglifami - pomógł jej Pająk.

- No, hieroglifami, kawałek ich modlitwy, o wielkie słońce, dajesz ciepło, dajesz życie, a na drugim: opuszczasz nam swym blaskiem powieki, pochylasz nam głowy w pokornym ukłonie, a na jeszcze innym, padamy przed tobą na twarze, o słońce, ty zabijasz noc, która trwałaby wiecznie...

- Szkoda, że tego nie mówiłaś przez radio - powiedział Pająk z uznaniem.

- No, jakby to wszystko widziała.

- A w środku tej tarczy mieszkał ktoś, kto rządził całym Egiptem, ale nikt o tym nie wiedział, bo on był tam zamurowany z tyłu, w takiej małej komórce...

- Co ty, bez powietrza?

- A kto ci powiedział, że bez powietrza? Powietrze tam było, od góry okrągłe małe otwory, takie jak na statku... Bo ten ołtarz wyglądał tak: najpierw był taki wielki postument z marmuru jak pod pomnikami, tylko większy, na nim drugi mniejszy, a dopiero nad tym ta tarcza ze złota, wmurowana jakby w marmur, a za nią ten jego pokój.

To był bardzo stary kapłan, nikt go nie widział od wielu lat, nikt nie wiedział, że on tam siedzi, a w tych postumentach w środku były schody i tamtędy wchodził tylko Faraon, który się modlił. A na dole pod ołtarzem w katakumbach były zwłoki faraonów tak specjalnie przyrządzone, żeby nie zgniły, i owinięte w płótna mumie egipskie...

- My na jednego chłopaka mówimy Mumia Egipska, jest taki chudy, że wszystkie gnaty ma na wierzchu, a gacie gimnastyczne na nim wiszą jak na kiju...

- Wiem który - powiedział Pająk - mieszka na Prusa.

- No.

- Przed ołtarzem po prawej stronie była taka zakratowana kaplica i tam zawsze palił się ogień, tak jak u nas wieczna lampka, a przy nim czuwały na zmianę takie kapłanki, bo tam też kobiety mogły być księżmi.

- Ciekawe dlaczego u nas nie - zastanowiła się Córka Stróżki.

- No bo u nas jest inna wiara.

- Jedna kapłanka miała na imię Nefret i była bardzo piękna, najpiękniejsza ze wszystkich, wysoka, zgrabna, miała zielone oczy i długie podkręcone rzęsy, usta czerwone, bez malowania, i brązowe włosy, długie aż za plecy, rozpuszczone, a na sobie miała długą białą suknię haftowaną złotem w lilie i słońca, to była kapłanka Boga Słońca, bo oni modlili się do słońca, to był jeden z najważniejszych bogów, nie jeden tak jak u nas, tylko paru ważnych i dużo mniej ważnych.

Stary Faraon leżał na łożu śmierci, już był przygotowany, i wszyscy czekali, aż umrze, żeby go pochować w złotym grobowcu, a na tronie posadzić jego syna Amenotepa, no więc kapłani czekają pod drzwiami, patrzą przez szparę, podglądają, a stary Faraon leży i mówi do syna:

- Sprawdź, czy nie podsłuchują, wyrzuć wszystkich, żeby nikt nie słyszał tej tajemnicy, którą muszę ci przekazać, zanim umrę. - Amenotep sprawdził, wykopał kapłanów i wrócił do ojca.

- Synu mój - mówi stary Faraon - nie wiedziałeś, że nie ja rządzę krajem.

- Jak to, ojcze?

- To prawda, ja od wielu lat już jestem chory, jakaś zasłona spowija mój mózg i nie mogę niczego postanowić, niczego wymyślić, zapamiętać, nic, jestem w środku pusty i gdybym zaczął rządzić według swego rozumu, nasz kraj dawno by upadł i zagarnęliby go wrogowie, nie byłbym w stanie wygrać żadnej bitwy i boję się, mój synu, że tę chorobę umysłu przekazałem tobie, wiem, że potrafisz pisać piękne wiersze (bo on był poetą), że pięknie malujesz, że rachujesz w pamięci jak nikt inny, ale muszę cię przestrzec, że ja w młodości byłem taki sam... – I rozpłakał się na łóżku śmierci, że takie dziedzictwo mu zostawia oprócz korony, wziął za rękę młodego Amenotepa i przybliżył go do siebie, a potem powiedział mu w samo ucho: – W ołtarzu w świątyni, gdzie chodziłem się modlić, za tarczą Najwyższego Boga... – Przymknął na moment oczy, bo już mu było trudno się skupić i zapomniał, o czym chciał mówić, bo śmierć stała niedaleko i tylko czekała, aż on skończy, bo Faraon był bogiem i miał władzę nad śmiercią i gdyby jej powiedział, że ma odejść, toby nie umarł, ale on był już bardzo zmęczony i chciał się położyć w złotym grobowcu, gdzie zawsze paliła się lampka i było bardzo przyjemnie, zupełnie inaczej niż w naszych trumnach zabitych gwoździami na amen, zamknął na moment oczy i czekał, aż mu się przypomni, co chciał powiedzieć, i wtedy usłyszał cichy głos kobiecy:

– Za tarczą ołtarza jest mała komórka, a w niej...

I powtórzył to, co mu śmierć podpowiedziała, bo jej już się nie chciało tak długo czekać:

– Za tarczą jest mała komórka, a w niej mieszka najmądrzejszy człowiek świata, który zyskał od Bogów nieśmiertelność, i musisz mu tam zanosić jedzenie i picie, a on będzie ci mówił, co masz zrobić, uważaj jednak, żeby nikt nie dowiedział się o tym tajemniczym człowieku, jego imienia nie mogę zdradzić, bo sam go nie znam, mój ojciec w godzinie śmierci też mi go nie powiedział.

– To on siedzi tam już tyle lat? – spytał Amenotep.

– Synu, nikt nie wie, ile lat on tam siedzi i ile jeszcze będzie siedział, rządził za całą naszą dynastię, bo wszyscy mężczyźni w naszej rodzinie dotknięci byli tą straszną chorobą...

Dzieci słuchały w napięciu w coraz ciemniejszym wieczorze, w którym widać było czarne sylwetki wchodzące i wychodzące z mieszkania Starej Pani Człowieku, która leżała jeszcze w domu na śmiertelnym prześcieradle i na atłasowej biało-srebrnej trumiennej poduszce, na rozłożonych dużych gazetach, dopóki nie przyjadą z trumną, na gazetach rozłożonych po prostu na dwóch zestawionych stołach, leżącej w zapachu kwiatów jeszcze intensywniejszym pod wieczór, to bardzo dobrze, że tak ostro pachną, powiedziała Blokowa, której znudziło się już odmawianie zdrowasiek i szeptała na boku z matką Marycha, która wcale nie miała na to ochoty, zmęczona całym dniem biegania, i wolała palcami odmawiać różaniec, a pod zamknięte powieki przywoływać żywą twarz Starej Pani Człowieku, kiedy z nią po raz ostatni rozmawiała, jak ze świętą, myślała sobie, nie słuchając szybkiego terkotania Blokowej, zapach kwiatów był obezwładniający w tym stężeniu, inne kobiety też przymykały oczy, coraz bardziej kiwały starymi głowami, zupełnie mechanicznie przytakując wszystkiemu, co się działo dookoła, tak, tak, tak, słyszały o wszystkim, nie było dla nich nic nowego, nic zadziwiającego ani w jedną, ani w drugą stronę, skończona wspaniałość i potworny występek, wszystko już się zdarzyło.

Drzewa w ogrodzie za siatką przybrały postać rozwianych sylwetek ludzkich, śpiący ptak nie był widziany na szczycie topoli, lecz sam widział, kiedy tylko odmykał czujne oko i słyszał w cichym wieczorze lepiej niż w rozproszonym setkami szmerów i hałasów dniu, słyszał dziwną opowieść Szprychy siedzącej na niskim stołeczku wśród dzieci i pytanie Pająka.

– Chyba miał sklerozę ten Faraon, jak moja prababka?

- No, to była mniej więcej skleroza, tylko że się inaczej nazywała.

- Jak poszedłem do niej, to leżała i mówi do mnie: „Ach, to ty, poznaję cię, ty jesteś Henryk, pamiętasz, jak przyjeżdżałeś do mnie w dziewiętnastym roku", i zaczyna nawijać o jakichś polowaniach na dzikie kaczki, niesamowite rzeczy, i trąbi jak na myśliwskim rogu, hejnał najpierw, a potem wabi te kaczki, no myślałem, że się naprawdę skicham, widziałem, że moja matka też się trzęsie, ale udaje powagę, no i prababka gada i gada, sama sobie zadaje pytania, odpowiada na nie, a chwilę potem, no dosłownie po paru minutach, mówi do mnie, słuchaj, Feliks, czy twój ojciec jest w Wiedniu w dalszym ciągu? I tak przez cały czas miała gadane.

- Co, stale o tej babci, niech ona mówi dalej.

- Na czym się skończyło?

- No, że on mówi mu, że cała ich rodzina od samego początku...

- Tak, no więc wszyscy mieli sklerozę i chodzili do tego kapłana i on tam rządził...

Szprycha zastanawia się, bo na razie tylko tyle wymyśliła.

- I co?

- I, mówi ten stary Faraon, będzie rządził jeszcze i za ciebie, jeżeli będziesz tego chciał, ale musisz uważać, żeby nikt się nie dowiedział o jego istnieniu, bo taki warunek postawili bogowie, jeżeli ktokolwiek oprócz Faraona dowie się o jego istnieniu, to koniec, straci wtedy nieśmiertelność i umiera od razu, ale ja przez całe życie chodziłem do niego i nikt nie wiedział. Kapłani, kiedy chcesz się modlić, odprowadzają cię do ołtarza, a potem oddalają się przed świątynię i tam śpiewają pieśni towarzyszące modlitwie Faraona, te pieśni zagłuszają wszystko, kapłani na dole przez cały czas pilnują ognia, a ty udajesz, że rozmawiasz z Bogiem, tam nikt oprócz Faraona nie ma wstępu i pamiętaj, że każda jego decyzja jest dobra, nie przejmuj się nawet klęską, bo to wszystko jest wliczone, jeżeli on mówi, że teraz trzeba ponieść klęskę, żeby potem odnieść zwycięstwo, rób, co ci każe, nawet jeżeli wydaje ci się, że mógłbyś zwyciężyć, w sprawach państwowych, jeżeli mówi ci, że masz kogoś usunąć albo stracić, to żeby to była rodzona matka albo kochanka, to musisz to zrobić, bo jeżeli nie poddasz się jego woli, to on zniknie, wtedy też straci nieśmiertelność i rozsypie się na proch. Jak tam wejdziesz, znajdziesz garstkę siwego popiołu i koniec, i będziesz musiał radzić sobie sam, a pamiętaj, że kapłani, którzy cię otaczają, to banda oszustów, obłudników, utopiliby cię w łyżce wody, gdybyś nie był bardziej przebiegły niż oni, możesz mieć zaufanie tylko do dwóch, ci są inni, do najmłodszego, który jest twoim bratem z innej matki, o czym nikt nie wie, tylko on i ty, i do najstarszego...

Szprycha nie była w stanie wymyślić tak od razu dwóch egipskich imion, więc powiedziała:

– Już się zmęczyłam, więcej nie mogę, dalej będzie jutro albo pojutrze.

– Ale powiedz jeszcze trochę – poprosiła Ela.

– On się na pewno zakocha – powiedziała z przekonaniem Mira.

– No pewnie, taki młody, jak zobaczy taką piękną kapłankę, to jasne.

– Ale czy on będzie mógł się ożenić z kapłanką?

– Nie, nie może.

– O Jezu, to co będzie?

- Co będzie, to będzie - zakończyła Szprycha. - Już jest zupełnie ciemno i tak nieprzyjemnie, jak się wie, że Człowieku tam leży...

- Zupełnie zapomniałam - powiedziała Ela - o tym, że ona, ale to zupełnie, jak opowiadałaś.

- Taaa - powiedział Pająk - ja też jakbym był w tych katakumbach.

- Muszę iść do domu, bo matka powiedziała, że nie będzie mnie wołać i żebym sama przyszła, bo nie będzie krzyczeć na całe podwórko, jak Człowieku tam leży, powiem matce o tym biurku...

- No, będziesz miała fajnie - westchnęła zazdrośnie Córka Stróżki.

- To jest antyk, no i pamiątka - podsumował Pająk.

- Ciekawe, czy już dzisiaj ona może do kogoś przyjść - zastanowiła się Mira.

- Ale tam, akurat, ona nie ma nic innego do roboty, tylko cię straszyć. - Pająk wzruszył ramionami.

- Nie mówię, że straszyć.

- Ale prawda, że ona nam chciała coś powiedzieć i nie powiedziała do końca. - Szprycha, która już chciała iść i stała ze stołeczkiem w ręku, znów siadła, chociaż wolałaby tego nie słyszeć, ale jak się już zaczęło, to nie mogła teraz pójść.

- To uważaj, żeby nie przyszła do ciebie dokończyć - postraszył Pająk.

- Ale jesteś świnia - odcięła się Szprycha. Taki jest ten Pająk, powiedziała mu i teraz będzie to zawsze wykorzystywał, że ona się boi.

- Zastanów się, czego się boisz? Człowieku? Czy ona może coś złego zrobić, no ale weź to tak na zdrowy rozum, no?

- Chyba nie, nie, raczej nie.
- Za to raczej ty powinnaś dostać wycisk - powiedział Pająk.
- Ale jakby tak Donię za giry pociągnęła - zaśmiał się Mareczek, który dotąd się nie odzywał, myśląc jeszcze o starożytnym Egipcie.
- No, to by było - wszyscy zaczęli się śmiać.
- Jakby tę grubą girę spod pierzyny wystawiła, a tu ją coś drapie.
- Ona w krzyk, wylatuje z łóżka, zapala światło, nic.
- Kładzie się, gasi światło, a tu znowu.
- Przestańcie się wyśmiewać - powstrzymała ich Mira.
- O Jezu, kto się wyśmiewa, przecież to z Doni, a nie z Człowieku.
- No, ale ona teraz leży tam i wszyscy się modlą, a my tu co?
- To grzech.
- Kto ma grzech? Donia, bo kłamie i oszukuje.
- Ale nie my.
- Na pewno nie.
- Pewno, że nie, powiedziała, że my jej kradniemy węgiel, to kto ma grzech, jak to jest nieprawda, ciekawe - powiedziała Szprycha.
- Wiecie co - zaszeptał Kaju, nagle zdecydowany powiedzieć coś, co go cały dzień gryzło, a o czym Pająk już wiedział - moja siostra ma grzech i musi się z niego wyspowiadać, śmiertelny - podkreślił.

Czarna wrona bezszelestnie sfrunęła niżej i przeniosła się na topolę rosnącą najbliżej siedzących dzieci.

Kaju najpierw kazał wszystkim przysięgnąć, oprócz Pająka, bo on już wie, jak Boga kocham, słowo harcerskie, powiedziała świecko Ela, wszyscy się poprzysięgali i Kaju opowiedział.

W niektórych oknach zapalały się światła, słabe, żółtawe czterdziestki, tylko ojciec Eli włączył setkę nad rozłożoną na biurku mapą i na samym strychu, w mieszkaniu przerobionym z części pralni także zapalono ostre światło, ale mieszkał tam zupełnie nowy, nikomu nieznany lokator, nikt go jeszcze nie widział i nie wiedziano, co to za jeden.

Siedem światów

– W tym deszczu – powiedziała Stróżka – te dzieciaki są nie do wytrzymania, cały dzień latają po klatkach.

– Już ostatnie dni, pójdą do szkoły i będzie spokój – pocieszyła ją matka Marycha. – Swoją drogą ma pani siedem światów z tymi dzieciakami.

– Żeby już, bo porozrzucane te papiery, kredą popisane ściany, takie świństwa rysują, że się wierzyć nie chce...

– Ale za to nie musi pani myć podwórka – powiedziała matka Marycha.

– To to akurat lubię.

– Patrz pani, to już trzy tygodnie, jak ten czas leci, nie mogę się uspokoić, jak to szybko poszło, pogrzeb i po pogrzebie, ale musi pani powiedzieć, że pogrzeb był piękny, no manifestacja, tyle ludzi to nie widziałam, i to dobrowolnie przyszli, nie tam żaden ważny umarł albo ksiądz, zwykły człowiek.

– No, do każdego równo, mówiła Człowieku, czy prosty, czy wykształcony.

– A pani wie, że Donia do sądu wniosła z tą piwnicą?

– Ja pani powiem, że ją dawno powinien Pan Bóg skarać, to już za dużo.

– Ma świadka, to ta, co do niej przychodzi w tych kapeluszach.

– Niech mi pani nawet nie mówi.

Dzieci siedzą na schodach na półpiętrze. Chłopaki grają w wojnę, a Pająk ze Szprychą na parapecie okna delikatnie naciskają płaskie okrągłe pchełki. Pająk czerwone, a Szprycha zielone; na środku parapetu stoi miseczka, do której trzeba wcelować, czerwonych jest tam wyraźnie więcej, Szprycha przygryza język, męczy się, jest, teraz Pająk, nie trafił, znów ona, szanse się wyrównują, teraz jeden krążek powinien pokryć drugi, za to są punkty...

– Widział to świat, widzieli to ludzie – mówi Inżynierowa do Blokowej – takie lato, dzień w dzień leje.

– Ciekawe, jaką też ma mąż pogodę w tej Czechosłowacji?

– Nie wiem, pewnie raz tak, raz tak, jak wszędzie. – Policzki Inżynierowej zaogniły się, czarne oczy popatrzyły bystro w wyłupiaste oczy Blokowej, które rozmazały się i rozjechały w nieszczerości.

Inżynierowa chętnie plunęłaby jej w twarz; wiedziała, że tamta wie od dawna, jak wygląda Czechosłowacja, ile metrów stąd się mieści i jak gęsto jest zaludniona, żadna z kobiet nie zadawała jej takich dręczących pytań, kiedy żyła Człowieku, tak, z nią można było o tym rozmawiać, ale to była inna osoba.

„Co ty się będziesz, człowieku, zamartwiać, przejdzie ten czas, jak każdy inny, winny odcierpi i wróci, a co dopiero niewinny, nikt mu tu z ludzi złego słowa nie powie, niech pani łzy wstrzyma, dziećmi zająć się trzeba, żeby braku ojca nie odczuły, jaka radość będzie, jak wróci, jeszcze trochę, Pan Bóg miłosierny, jeszcze trochę..."
Słyszy w głowie słowa Człowieku, ale głos Blokowej przez nie przenika:

– Że też pani do niego na wakacje nie wyjedzie...

– Wyjadę z dziećmi, może na święta gwiazdkowe pojedziemy – mówi pewnym głosem.

Blokowa jest zdumiona, zachwiana pewnością Inżynierowej, może on rzeczywiście jest w tej Czechosłowacji, kto wie.

Z domu wychodzi wystrojona żona Cholewkarza z Perłą na smyczy. Koła w uszach połyskują nawet w tym deszczu pod czarnym dużym parasolem.

– Że też nie szkoda pani takich dobrych butów na taką pogodę – dziwi się Blokowa.

– No, do widzenia, śpieszę się. – Inżynierowa korzysta z okazji i wymyka się dociekliwości Blokowej.

– A co – mówi żona Cholewkarza – co im się stanie, jak małżonek zrobi buty, to się na deszczu nie rozkleją, jak te państwowe.

– Nie każdego stać na prywatne buty.

– Kogo stać, tego stać. – Cholewkarzowa szarpie smycz, na której końcu rozjeżdża się znudzona Perła.

– Chciałam prać, ale przecież nie wysuszę na tym deszczu – Blokowa zmienia temat.

Stoją pod daszkiem wejścia na klatkę schodową, żeby nie zmoknąć. Jednostajny szmer spadających kropel stał się niesłyszalny. Są małe i gęsto padają. Liście topoli nawet się nie uginają pod ich lekkością. Są spłukane, błyszczące, jakby pociągnięte lakierem bezbarwnym, przez co uzyskały głębię niebywałej zieleni. Kolory kwiatów w ogrodzie za siatką też nabrały intensywności, jakiej nigdy nie daje im słońce: czerwone mają w delikatnych włoskowatych płatkach kolor zakrzepłej brunatnej krwi, a w środku są prawie czarne; żółte wysokie jak słoneczniki, ale na długich i zbyt giętkich łodygach pokrytych gęsto liśćmi kołyszą się i pochylają spęczniałe kwiaty w ceremonialnych ukłonach.

Jest już prawie południe, ale bez cienia drzew na rozsłonecznionym trawniku nie można dokładnie określić godziny.

– Czas przygotować obiad – mówi Blokowa. – Dostałam ładne stópki u Wujca, już się gotują, zrobię trochę barszczu, Kaśińka tak lubi...

– Czas, czas. – Żona Cholewkarza jest wyraźnie zdenerwowana, ściska rączkę parasola, poprawia nerwowo złoty kolczyk, daje klapsa wyrywającemu się psu, który koniecznie chce nosem dotknąć nogi Blokowej.

– Podobno mąż dostał słony domiar. – Blokowa jak zwykle zachowała cenną informację na koniec.

– Że też pani musi wszystko wiedzieć, a swoją drogą jestem ciekawa, skąd pani to wie?

– Blokowa musi mieć swoje wiadomości – mówi tajemniczo Blokowa o sobie jak o kimś innym, mówi po prostu o swoim urzędzie.

– Idę do Izby Rzemieślniczej, muszą umorzyć.

– Nie umorzą, swoje wiedzą, to się nie ukryje, kto ma, to ma, ten musi zapłacić, a jak nie, to komornika przyślą, i koniec, wszystko zabiorą.

– Niech pani nie kracze, co mogą zabrać, jak nic nie mamy?

– Znajdzie się, chociażby te złote koła, co pani ma w uszach.

– To jest mój osobisty majątek, to mam jeszcze z domu.

– Z domu? A ciekawe, jak je też pani przed Niemcami schowała?

- Wetknęłam sobie w dupę - mówi niespodzianie Cholewkarzowa i z tym odchodzi, ciągnąc Perłę, która w tym momencie zdążyła jeszcze strzyknąć na schodki.
- No wie pani, jak tak można, ani kultury, ani nic.

Żona Cholewkarza jest już daleko; ta małpa wszystko musi wiedzieć, wszędzie wetknie ten swój nos, myśli, kto wie, czy to nie ona, z zawiści, nie poszła i nie doniosła, bo ciągle tylko: „Wy to jesteście bogaci, znów widzę, sąsiadka ma nowe buty, no, no, no, co za kapelusz", i stale tak, i ciągle jest na podwórku, żeby tak można było wyjść z domu i jej nie spotkać, cały dzień sterczy na ulicy, co ją to obchodzi, pewno myśli, że poniemieckie, każdy sądzi sam po sobie...

Blokowa przełknęła pigułkę, skondensowany brak kultury wyrażony soczystym zwrotem, i rozgląda się po podwórku, nikogo nie ma, Stróżka przed chwilą weszła do mieszkania, matka Marycha też zniknęła, słychać jedynie głosy dzieci siedzących na półpiętrze...
- Taa - mówi Pająk - akurat ci wierzę.
- No, jak Boga kocham, wczoraj słyszałem - przysięga Mareczek.
- Ale nic nie powiedział, ani słowa z niego nie wydusili.
- Co ma mówić?
- Niektórzy zmyślają ze strachu.
- No, jeden nawet w pory narobił.
- A potem go wypuścili, no bo co mieli zrobić?
- Przestańcie, bo nie można tego słuchać - odzywa się Szprycha - ja już nie mogę.
- Ryby i baby, baby i ryby nie mają głosu - wtrąca Kaju.

Blokowa nie może domyślić się, o co chodzi, słucha uważnie, ale teraz Mareczek szepcze do ucha Pająkowi, a Szprycha pyta:

– Co będziemy robić?

Nikt jej nie odpowiada, chłopaki skupiły się i wałkują ciągle ten sam temat, a ciekawe, czy ty byś powiedział, ja bym nic nie powiedział, ja jestem wytrzymały na ból, taa, na uszczypnięcie, na pokrzywkę, ale na to nie ma siły, ja bym udawał wariata, każdy by chciał udawać, ale jak cię przyprą do muru, to wyśpiewasz, a on nie wyśpiewał, no bo on, on to jest on, a inni to inni, możesz kota dostać, jak tak w kółko, nazwisko imię, imię nazwisko, mówię ci.

– A ty, Pająk, byś na pewno nie powiedział – mówi Szprycha.

Pająk uśmiecha się zadowolony, ale śmieje się do środka, nie pokazuje, że to go cieszy.

– Czy ja wiem – mówi skromnie – skąd mogę wiedzieć.

– Dobry – mówią dzieci z uszanowaniem.

Marych schodzi po schodach. Trzyma się poręczy, idzie ostrożnie, ma podbite oko, widać to nawet spod plastra, bo wystaje kawałek żółtego i kawałek fioletowego policzka, zatrzymuje się na półpiętrze i chwilę bardzo cicho rozmawia z Pająkiem, Pająk gdzieś leci, ściskając w dłoni pieniądze, leci do Ropuchy po papierosy.

Marych otwiera pakamerkę i ogląda swój motocykl. Staje potem na deszczu, który chłodzi jego rozgrzaną głowę, spłukuje brylantynę z włosów, sztywna fala rozprostowała się i opada długimi kosmykami na czoło. Blokowa, zmierzając do domu, cofa się i podchodzi do niego.

- Coś się stało w oko?
- Co się stało, to się nie odstanie - zbywa ją sentencją.
- Gdzie tak przystroili? - zwraca się do niego w bez-osobowej formie, zna go dawno, był takim chłopakiem jak Pająk, kiedy go poznała, a teraz dorosły mężczyzna, przystojny jest, nawet z tym plastrem dobrze wygląda, więc jak ma się do niego zwracać, przez ty nie wypada, a proszę pana nie chce jej przejść przez gardło. - Trzeba było nóż przyłożyć.
- Nóż to mogę komuś do gardła przyłożyć.
- Ale dowcidupny. - Blokowa chce żartem nastroić go do rozmowy. - Takie teraz są te zabawy - mówi domyśl-nie.
- Jakby pani zgadła.
- I tak się dał?
- Jak dwóch trzyma, a trzeci bije i jeszcze mają do tego prawo, to...
- To aż tak?
- Dostaną jeszcze za swoje, jeszcze trochę.
- Przecież ma kolegów w pracy.
- No, zrobi się, jeszcze trochę.
Marych wchodzi do pakamerki, zapala światło i zamy-ka Blokowej drzwi przed nosem. Kurrr-wa jeb, myśli, wszystko by chciała wiedzieć i to nie dla ciekawości, kur-wa menda, koledzy w pracy ją obchodzą, pierwsza będzie miała dziób gipsem zaklajstrowany...
Szare niebo, ale nie takie znów ciemne, leje krajowy, trzydniówka by wystarczyła, a tu już piąty dzień. Uchylił drzwi, bo zrobiło się duszno, i popatrzył w górę na wy-prostowane dumnie topole, odruchowo stanął prosto, zabolało go coś w środku, osobno się wątroba rusza, pomyślał, ale przejdzie.

Czarna wrona usadowiona przemyślnie między gałęziami jednak miała mokre pióra; deszcz był co prawda ciepły, ale ją przenikały dreszcze.

Fałszywy Judasz wygrzewał się w niedokładnie domkniętym kuble na śmieci, wdychając zapach wczorajszych rozkładających się śledzi, taki jak po każdym piątku. Pacnął łapą w głowę śledzia. Prosto w oko, skubnął dla zasady, szarpnął resztkę wiszącej na szkielecie skóry i oblizał pysk. Podskoczył, uderzając głową w pokrywę śmietnika, choć i tak wiedział, że ciągle jeszcze pada, bo słyszał uderzenia kropel w srebrną blachę.

Pająk podał Marychowi papierosy i siedział razem z nim na skrzyni.

– Chyba do zawodówki – mówił, patrząc, jak Marych się zaciąga.

– Chcesz się sztachnąć? – Marych, nie czekając na odpowiedź, podał mu papierosa.

Pająk zaciągnął się głęboko, tak głęboko, że poczuł smak tytoniu nie tylko w ustach, ale na samym dnie żołądka. To była rozmowa, o której nie mógł powiedzieć nikomu, ani na podwórku, ani nawet matce, zwłaszcza matce, ty mi się w to nie mieszaj, to mówiła zawsze, nawet jeżeli coś się działo w szkole, a co dopiero w takich poważnych sprawach.

– Powiem ci, jak będziesz miał iść, i nic więcej nie mów, tylko to, a jakby co, to w ogóle nie wchodź.

Na klatce schodowej reszta siedziała na parapecie i czekała na Pająka. Przyszedł wreszcie.

– I co? – pyta Mira.

– Gówno drogą szło i kazało cię pozdrowić przez kupę śmieci, żebyś miała dużo dzieci.

– Nie to nie.

- Chcemy w lekarza? - spytała pojednawczo Mira.
- Przyniosę apteczkę.
- Ale gdzie? Tędy chodzą.
- Przy strychu, nikt nie pierze.
- Ja się nie bawię - powiedziała Szprycha.
- Tchórz.
- Taka głupia ta zabawa.
- A ty taka jesteś mądra, ciekawe.
- I świńska, to jest grzech.
- Ale badanie tylko od góry.
- Zawsze ma być tylko od góry.
- Same to się bawicie od dołu, myślisz, że nie wiem.
Bożena mi powiedziała, jak było u niej.

Szprychę obezwładnił wstyd, taka jest ta Bożena, najpierw chce, a potem opowiada chłopakom, co za świnia.

- Powiedziała, co tam masz. - Mareczek śmiał się jak stary dziad.

- Lepiej w Żydala - powiedziała Mira.

- Lepiej w doktora. - Mareczek już był gotów do objęcia roli. - Proszę się rozebrać, wszystko, wszystko.

- Pewno, że lepiej. - Kaju zaczynał rozpinać bluzkę Szprychy.

- Twoja siora też się bawiła w lekarza i teraz ma - odcięła się Szprycha, odpychając jego dłonie.

- A u Bożeny to mogłaś?

- U Bożeny to co innego, tam jest prawdziwa kanapka, taka lekarska leżanka, można się położyć i są bandaże i strzykawki, i wszystko.

- No pokaż.

- Pokaż to ci zrobi tokarz.

- Ja się w świństwa nie bawię - powiedziała Mira. - Mogę najwyżej przynieść apteczkę i tylko zastrzyki w rękę.

- W rękę to sobie rób sama, rękę każdy widział.
- Jak jesteś taki ciekawy, to idź do kina.
- Tego w kinie nie pokazują.
- To se znajdź taką, co ci pokaże.
- A u Bożeny pokazywałaś, po co sobie same pokazujecie, jak wszystkie macie równe.
- Przestańcie, bo ja idę jutro do komunii i dzisiaj muszę się wyspowiadać - Mira usiłowała powstrzymać rozpoczęty dialog.
- Mogę ci dać rozgrzeszenie, a jak pokażesz, to odpust zupełny.
- Ja idę do domu, bo oni się chyba powściekali - powiedziała Szprycha.
- Czy dotykał cię mężczyzna, moja córko? - Mareczek do złudzenia przypominał księdza, poprzeplatał palce, wzniósł oczy do nieba i szeptał bezgłośną niby-modlitwę.
Dziewczynki roześmiały się.
- Nie wykupiłaś fantu. - Mareczek wyciągnął z kieszeni różową spinkę Szprychy w kształcie motyla, z imitacji perłowej macicy. - A miała być spowiedź.
- Oddaj.
- Figa z makiem.
- Oddawaj.
- Poproś.
- Wypchaj się.
- To nie dostaniesz.
- Bo pójdę do twojej matki.
- Proszę bardzo, siedzi w salonie i czeka na jaśnie panią.
- Oddawaj.
- Po spowiedzi.

Szprycha znienacka wyciągnęła rękę w kierunku leżącej na dłoni Mareczka spinki: on jednak w porę ją zamknął.

– Wyspowiadaj się, co ci szkodzi – powiedziała Mira.

Szprycha stanęła tyłem, a Mareczek siadł wygodnie na parapecie.

– Zwiążemy jej oczy.

– Nie potrzeba, nie będzie patrzyła.

Szprycha wyklepała krótką formułkę (ostatni raz byłam u spowiedzi świętej tego a tego, pokutę odprawiłam, od tego czasu moje grzechy są następujące) i czekała, aż Mareczek zapyta:

– Ile razy to robiłaś? – I zrobił ręką ruch mający wyrażać kradzież.

– Trzy – powiedziała Szprycha.

– Aż trzy razy kradłaś, córko, to nieładnie.

– A ile razy to robiłaś? – Mareczek objął Pająka i zaczął go obcałowywać, wszyscy stłumili śmiech.

– Tysiąc – powiedziała po dłuższym zastanowieniu.

Zaśmiali się.

– Ależ, córko, nie dostaniesz rozgrzeszenia. Tysiąc razy całowałaś się z Pająkiem.

– Nie wyprzesz się tego – Mira dołożyła swoją cegiełkę – nie wypieraj się, jak się bawiliśmy w topię się, na ile metrów, na tysiąc powiedziałaś, na tysiąc głębokich.

– Wcale się wtedy nie całowaliśmy – broniła się Szprycha – staliśmy za drzwiami i pamiętam, że Pająk mówił o Starej Pani Człowieku, bo to było akurat po jej pogrzebie.

– Za pokutę dostaniesz pielgrzymkę, trzy razy dookoła podwórka na jednej nodze.

– Ale tak leje.

- To dobrze, jak ktoś ma takie grzechy, to musi odpokutować.
- Ale ja zmoknę.
- To mogę ci zamienić na pokazanie.
Zeszli na podwórko. Szprycha zdjęła buty i zaczęła skakać na jednej nodze.
- Możesz zmieniać nogę - powiedział Mareczek wspaniałomyślnie.
Przy drugim okrążeniu Szprycha była mokrzusieńka do samej koszuli i czerwona z wysiłku.
- Dosyć. - Mareczek oddał jej spinkę.
Pająk w czasie pielgrzymki Szprychy opowiadał pozostałym jakąś książkę.
- Lotnik bez nóg - mówił. - Obie nogi mu obcięli, bo było trzeba, i on się uczył chodzić na protezach, i się nauczył, i nawet latał jeszcze na samolotach, wszystko po kolei jest opisane, jak wracał do życia.
- Ruskij cześawiek - powiedział Kaju.
- Czy to możliwe?
- To jest podobno prawda, takie coś się zdarzyło.
- Ja to czytałam - wysapała Szprycha - to jest „Opowieść o prawdziwym człowieku", to jest fajne.
- My to mieliśmy w lekturze.
- A my jeszcze nie, my teraz mieliśmy „Samotny biały żagiel", a przedtem „Timur i jego drużyna".
- A ja czytałem „Kordzik", to dopiero jest, ale tego nie było w lekturze, to wygrałem na loterii.
- Ja też wygrałam w niedzielę na loterii, ale zapomniałam, jaki to był tytuł, coś „Płomień Nieistniejący" czy coś takiego, z rysunkami, ale nie kolorowymi, o Dzierżyńskim, całe jego życie.
- Ty masz szczęście.

- No, raz pojechałam z ojcem i jeszcze z jego kolegą nad Wartę i tam było takie drewniane koło z numerami, kupowało się numer na klapce, a potem to koło puszczali w ruch jak karuzelę i na jakim numerze stanęło, ten wygrywał, i ojciec mi kazał wykupić numer, i wybrałam siedem, bo to pamiętam, i stanęło na siódemce, dostaliśmy butelkę wina, i jeszcze raz kupiłam, i też siedem, wszyscy mówili, że gdzie tam, drugi raz nie wyjdzie, i znów butelkę wina...

- No to nic z tego nie miałaś.

- A właśnie, że miałam, bo ojciec mi kupił czekoladę.

- Opłaciło mu się.

- No, tam było fajnie, grała cygańska orkiestra, jeden na akordeonie, jeden na skrzypcach, niektórzy tańczyli w lesie, fajnie, tylko że zaraz ojciec z kolegą wypili te dwie butle i się, no i potem, jak ojciec zasnął na kocu, to ja mu zaplotłam włosy w sto cieniutkich warkoczyków, bo byłam wtedy jeszcze mała, to było bardzo dawno...

Siedzieli na schodkach pod daszkiem. Zaczynało się przejaśniać.

- A jak się obudził z tymi warkoczykami?

- Nic mi nie zrobił, tylko musiałam mu rozpleść i spóźniliśmy się na pociąg, i wracaliśmy potem prawie w nocy, w towarowym pociągu, wszyscy byli pijani; było wesoło, tylko jeden chciał się stale bić i szukał kogoś do bicia, ale go koledzy uspokoili.

- Fajnie miałaś - powiedział Pająk zazdrośnie.

- Może wreszcie przestanie padać.

- Może przestanie, bo nie ma co robić.

- Już powinno przestać, w końcu piąty dzień.

- „Gdzie strumyk płynie z wolna, rozsiewa zioła maj" - zanuciła Mira i zaraz inni podchwycili.

- Ciszej - powiedziała Szprycha - przecież wiecie.
- To zejdziemy do piwnic, żeby nikt nie słyszał.
- Przynieś ten mały śpiewnik.
- Jeszcze czego.
- Przynieś.
- A jak kto zobaczy?
- Włożysz do kieszeni, nikt nie będzie widział.
Szprycha pobiegła do domu po śpiewniczek.

> Czerwone maki na Monte Casino,
> zamiast rosy piły polską krew,
> po tych makach szedł żołnierz i ginął...

Piosenka nabrzmiewała stopniowo, pogłos głębokiej piwnicy wzmagał jej groźny tekst, dzieci stały oparte o mur i śpiewały, zerkając do śpiewnika przy dalszych zwrotkach.

Kaju stał u wylotu wejścia do piwnic, przy samych schodkach, tak żeby słyszeć śpiew, a jednocześnie widzieć, czy ktoś nie schodzi, nikt nie byłby taki, żeby zrobić z tego użytek, ale zawsze lepiej być ostrożnym.

- Ciekawe, dlaczego akurat tego nie.
Pająk wzruszył ramionami, robił to często, ostatnio coraz częściej, różnił się od reszty już nie tylko wzrostem.

> Rozszumiały się wierzby płaczące,
> rozpłakała się dziewczyna w głos,
> od łez oczy...

- Uwaga - zawołał po cichu Kaju - idzie Strupla.
- Ale już was tu nie ma! - krzyknęła Stróżka. - Ale już!
Kiedy wyszli z ciemnej piwnicy, wydawało im się przez moment, że zaświeciło słońce, bo niebo stało się w tym czasie żółtawe.

- Będzie burza. - Matka Marycha zeszła ze śmieciami i zajrzała do pakamerki syna. Marych siedział w dalszym ciągu na skrzyni i palił papierosa, był to już któryś z kolei papieros, zadeptane pety wypalone tak daleko, jak tylko się dało, nie większe od paznokcia, walały się dookoła.

- Powiedz jej, matka, niech mi nie wchodzi w drogę.

- Kto?

- Wiesz kto, ta ciekawa menda.

- Co ci znów zrobiła?

- Tak się dał? Tak się dał? Nie jej zasrany interes, niech pilnuje tego, co ma pilnować, jak jeszcze raz się odezwie, to zapytam, za który pułk córka za mąż wychodzi.

- Idź poleż, Marych, dam ci jeść, okład ci zrobię.

- Dobra, w porządku, jutro idę do roboty.

- Ani się waż, masz zwolnienie, nie pójdziesz.

- Nie rozśmieszaj mnie, matka, bo mi się wątroba rusza, jak się śmieję.

- Ale z pracy cię nie wyrzucą?

- Niechby spróbowali.

- Mądrzejsi byli niż ty.

- Ale ja ci mówię, matka, że mnie nie wyrzucą.

Marych bierze od matki puste wiadro, zamyka pakamerkę i oboje idą pod górę. W milczeniu mijają ojca Eli schodzącego w dół, w świeżo odprasowanym mundurze bez dystynkcji, w okrągłej czapce, bez której nikt go nie widział, chyba w niej śpi, mówi Marych, z przymkniętymi powiekami, którymi odgradza się od wszystkiego, co go rozprasza, drobny i szczupły schodzi dostojnie, powtarzając jak hasło pewne zdanie wypowiedziane podczas wojny: „nauczyć się bić wroga niezawodnie", „niezawodnie", tylko tak można zwyciężać, trzeba to wcielać w życie także w czasie pokoju, zwalczać zło, fałsze ideolo-

giczne, które wszędzie się czają, zaprowadzić ład jedno-
znaczny, zbiór ściśle określonych przejrzystych zasad,
żeby każdy wiedział, czego się trzymać, każda sytuacja
będzie miała swój paragraf i punkty, podpunkty dla wa-
riantów i szczególnych przypadków, zbiór zasad nieza-
wodnych...

– Nieszczęśliwy człowiek – mówi matka Marycha,
usłyszawszy trzaśnięcie drzwi klatki schodowej, znak, że
już wyszedł.

– On jest jeszcze najporządniejszy, tamci to dopiero
są skurwysyny.

– Nic nie mów. – Matka lęka się teraz nawet słów
syna.

Dzieci powoli rozchodzą się na obiad. Pająk i Szprycha mają jeszcze chwilę czasu, przebiegają więc w maleją-
cym deszczu do Wui.

Zatrzymują się przed bramą, widząc dyrektora Jazończyka. Stoi w drzwiach baraku nazywanego biurem i rozmawia z obcym mężczyzną w czarnoprzeźroczystym
przeciwdeszczowym flaku.

– Masz swojego wampira – mówi Pająk.

– Ale też wygląda, śmieje się jak głupi do sera.

Mężczyzna śmiał się głośno, pokazując górną lewą
złotą trójkę. Klepał Jazończyka po ramieniu, ciągle ze
śmiechem, mimo że twarz tamtego wyrażała surową
powagę.

Wuja nie uczestniczył w rozmowie, przyglądał się im
obu bez sympatii. Pająk ze Szprychą postali chwilę, a potem schronili się pod daszkiem na podwórku. Wiatr ko-
łysał nieznacznie wierzchołkami topoli, otrząsając zbędne
krople deszczu, który przestał padać zupełnie.

Pociemniało raz, po chwili jeszcze bardziej, jakby stopniowo wygaszano światła, drzewa szumiały teraz słyszalnie, skutecznie zagłuszając bardzo dalekie grzmoty. Burza szła przez rzekę, nie mogła jednak jej od razu pokonać. Zamierzała się wielokrotnie, ale nic z tego nie wychodziło, grzmoty nie przybliżały się; stłumione detonacje z oddalonego frontu. Wreszcie upór zwyciężył i nagła błyskawica podzieliła niebo nad podwórkiem. Prawie jednocześnie rąbnęło gdzieś obok, aż wstrząsnęła się ziemia i domy. I po chwili jeszcze raz, i jeszcze, pioruny waliły na zmianę z błyskawicami, waliły blisko, wydawało się, że w sam środek podwórka, pomrukiwały z daleka, znów wracały, nie wiadomo, który huk należał do jakiej błyskawicy.

– To jest parę burz naraz – powiedział Pająk.

Szprycha milczała przez cały czas, powtarzając w myśli jakieś zaklęcia.

– Szyba na klatce wyleciała. – Popatrzyła na Pająka w momencie, w którym usłyszeli czysty dźwięk tłuczonego szkła.

– Musiał być przewiew.

– Okno samo się otworzyło.

– Idę na obiad. – Szybko przebiegła podwórko, zostawiając na nim samego Pająka.

– Przyjdziesz?

– Po burzy! – zawołała z otwartych drzwi domu.

Powietrze zaczynało pachnieć ozonem, burza jeszcze trwała, ale cofała się teraz przez Wartę. Znów zaczął lać deszcz, ale nie ten sam drobny co poprzednio, tylko prawdziwy deszcz burzowy, o wielkich hałaśliwych kroplach, tworzący natychmiast wodospady przy lada wzniesieniach i zagłębieniach, stojący w kałużach, które nie nadążały spływać zakratowanym kanałem, lecący gwałtownie ze srebrnych rynien jak woda z rzygaczy. Pająk patrzył na to wszystko z bramy i przedłużał chwilę pójścia do cichego i suchego mieszkania.

Ale mają rozprysk, pomyślał o wielkich kroplach. Przepowiedział sobie to, co miał powtórzyć, chyba zapamiętał wszystko. „Jakbyś co zauważył, to nie pchaj się na górę", tak powiedział Marych na końcu.

Nareszcie przestało padać i ciepłe popołudniowe słońce usiłowało przed wieczorem osuszyć podwórko. Nie było to jednak łatwe: na jego kamiennej części woda stała po kostki.

Dzieci biegały bez butów w tę i z powrotem zmęczone i zgrzane, bo nigdzie nie można było przysiąść, nawet schodki pod daszkiem były całkowicie mokre, nie mówiąc już o trawniku nasączonym jak gąbka.

„Trzy godziny mokłem pod twoim oknem, z góry na mnie padał deszcz, buty przemoknięte i ubranie zmięte, czy ty, luba, o tym wiesz, że ja..." „Że ja" to było parlando, po którym znów następowała ta sama zwrotka, powtarzało się to aż do znudzenia.

– Gdzie jest Pająk? – spytał Mareczek.

– Miał przyjść – powiedziała Szprycha.

– Wchodził do tego domu, gdzie jest Czerwony Krzyż – poinformowała Kaśińka, która tak jak jej matka lubiła wiedzieć.

Mira dołączyła do dzieci ze skupioną i poważną twarzą, powoli wchodziła bosymi stopami w kałuże, odgarniając wodę na boki i nie odzywała się do nikogo.

– Byłaś u spowiedzi? – zapytał Kaju.

Odkiwnęła tylko głową.

- Ja też byłem - powiedział Mareczek. - Żadnych wygłupów.

- Jakie miałeś grzechy, same powszednie?

- No, zawsze to samo, czwarte przykazanie i że się śmiałem w kościele, ale nie mogłem, bo jak ksiądz zaczął śpiewać i organista zabeczał, to myślałem, że wysiądę, no nie mogłem utrzymać powagi, co ja za to mogę.

- Uspokój się - pouczyła go Mira.

- Tylko do jutra rana.

- Dużą dostałeś pokutę?

- Cały różaniec i dwa razy litanię do Najświętszej Panny.

- A ja dostałam tylko litanię do Serca Jezusowego - pochwaliła się Mira, kiedy Pająk zbliżył się do nich.

Minął ich i poszedł dalej.

Dzieci popatrzyły za nim, ale zniknął w klatce prowadzącej do mieszkania Marycha.

- Ale się zrobił!

- Już niedługo przestanie przychodzić.

- No, będzie za stary.

- Przyjdzie, jeszcze przyjdzie.

- Coś kramuje z Marychem.

- Marych też przychodził, pamiętam, jak ja byłem taki jak Kaśińka.

- Wszyscy przychodzili.

- Nie wszyscy, od Inżyniera nie przychodzą, te dwie.

- A tam, od Inżyniera, jakby on był przedwojenny inżynier, toby przychodziły, mój ojciec tak powiedział, od Przedwojennego Dyrektora Tramwajów cała czwórka latała po naszym podwórku.

- No, moja babcia powiedziała, że z awansu społecznego to jest co innego niż z wykształcenia.

- No pewno, się stalują, jak nie wiem co.
- Staluje się zegar.
- Nie bądź taki mądry.

Usłyszeli skoki ze schodów po cztery, a może po sześć stopni, i Pająk w kilka sekund znalazł się przy nich. Oparł się o boczną część trzepaka wyglądającą jak drewniana szubienica i myślał.

- Kaju mówił, że przestaniesz przychodzić - powiedziała Szprycha.
- Wcale nie mówiłem, że teraz.
- A właśnie, że powiedziałeś.
- Ale nie, że teraz.
- Na przyszłe wakacje to już nie będę przychodził.
- Szkoda - powiedziała Szprycha.
- Żal jej, że narzeczony nie będzie przychodził - odezwał się Mareczek.
- Przestań dokuczać, bo nie pójdziesz jutro do komunii.
- Bo Pająk to zawsze coś wymyśli - powiedział Kaju.
- To kto inny wymyśli. - Pająk był poważny.
- Widziałeś Elę?
- Już przyjechała?
- No, ale opalona, na Murzyna.
- Przyjdzie?
- Mówiła, że dziś już nie, ale jutro przyjdzie.
- Mówiła, jak było?
- No, codziennie się kąpali i byli w Oliwie i w Gdyni, i w Gdańsku, wszędzie, i statkiem płynęli.
- My to samo, ale zawsze kąpiel na gwizdek, nie tak jak na pływci.

Szprycha wzięła Mirę pod rękę i odeszły na bok. Rozmawiały, szepcząc sobie do ucha.

- W towarzystwie się nie mówi na ucho.

- Wielkie mi towarzystwo.

Śmiały się obie głośno, tak jakby Mira zapomniała o należnej po spowiedzi powadze.

- Możemy im powiedzieć.

- Wiecie co, wczoraj przyszedł Najdus i jak wszyscy poszli, a ja zostałam i on został - opowiadała Szprycha - to on mi powiedział, że by chciał mieć taką falę jak Marych, żeby mu się włosy układały pod górę... a z tyłu na jaskółę... jak bikiniarzowi.

- No i co z tego. - Mareczek pogładził ręką włosy, które już od dłuższego czasu zaczesywał na mokro, żeby leżały tak, jak chciał.

- No i ja mu powiedziałam, że wiem, jak to się robi, że smaruje się całe włosy smalcem, potem dla usztywnienia trzeba posypać cukrem i ułożyć takie fale, jak się chce, i to mieć przez cały dzień na głowie, a potem wyczesać i zostanie fala.

- Najdus ci uwierzył?

- No, dlatego dziś nie przychodzi, bo powiedział, że jak tylko matka wyjdzie do roboty, to on sobie to zrobi.

- Akurat ci uwierzył.

- Zobaczycie, że uwierzył.

- Najlepiej go zawołać - postanowił Kaju.

- Najdus! - wołały dzieci, patrząc w okno na trzecim piętrze.

Natychmiast pojawił się w oknie. Na głowie miał czarną siatkę swojej matki, dobrze widoczną na jasnych włosach.

- Ten kretyn uwierzył - powiedział Pająk z niesmakiem.

– Ale się dałeś zrobić! – zawołał Mareczek i zaraz przypomniawszy sobie o jutrzejszej komunii, dodał oficjalnie:
– Pójdę mu powiedzieć, żeby umył głowę, bo jeszcze dostanie wycisk od matki.
– Niech dostanie, jak strzelił z procy i zabił wróbla, to nie dostał.
– Co tam wróbel.
– Ciekawe, jak jesteś taki mądry, to czemu sam nie strzelałeś.
– Etam, do wróbli, na polowaniu tobym strzelał.
– Chyba ze swojej armatki? – powiedział Pająk.
Wszyscy zaczęli się śmiać.
– Co to jest za zagadka? Dwie kuleczki i armatka.
– Przestańcie, my idziemy jutro do komunii – oburzyła się Mira.
– Zaraz się nie zgorszycie, nie udawajcie.
– A co Mareczek rysował na murze, to co, to dlaczego wtedy nie byłeś taki święty?
– Ksiądz mu kazał te wszystkie narysowane dupy poprzerabiać na przekrojone jabłka, narysować w środku pestki, dorobić ogonek i liść.
– No i napisy też, ale ciężko to szło, bo na co przerobisz...
Mareczek zamilkł nagle, nie chcąc wymawiać brzydkich słów, bo to też był grzech, ale wykrztusił wreszcie.
– Można na hujajnoga.
– To się pisze przez ceha.
– Skąd to wiesz?
– Bo wiem – ucięła Szprycha. – Widziałam, jak przerobiłeś dupa.
– To nie ja.

- Ciekawe kto?
- Co się przyczepiłaś, czy tylko ja piszę po murach?
- Padupadupadupad deszczyk sobie pada - tak jest napisane tam na murze, chyba że deszcz wszystko spłukał.
Pająk stojący bez ruchu i bez słowa wtrącił się nagle.
- Przestańcie już gadać te głupoty.
- A Szprycha też ma grzech, jak tak powiedziała Najdusowi.
- Niech każdy patrzy na swoje grzechy.
- Ma grzech - Mira była ekspertem od grzechów, zawsze wiedziała, jakie są śmiertelne, a jakie powszednie - nie czyń drugiemu, co tobie niemiłe.
- Nie myślałam, że on się tak łatwo da nabrać.
- Kłamiesz.
- Ona nie kłamie, tylko mija się z prawdą.
- Nie wiedziała! Udaje niewiniątko, a jak Nince poradziła lekarstwo na krosty, to co?
- Ale poskutkowało.
- To nie od tego, na pewno nie.
- Etam, Nince to co innego, Ninka jest prymuską, ale Najdusowi z naszego podwórka, co to, to nie.
- Nince powiedziała, że ma nasikać do miski z wodą i się w tym umyć.
- Ale jej zniknęły - upierała się Szprycha. - Poskutkowało.
- Ninka zawsze się przypodchlebia pani.
- No, stale chodzi śmieci wyrzucać do niej do domu, mleko kupuje i wszystko donosi, co się tylko powie, to zaraz Kostusia wie.
- To dajcie jej kocówę.
- Zaraz by poleciała naskarżyć.

– Ale i tak masz grzech, że jej się kazałaś w sikach umyć.

– Ale we własnych.

Przez podwórko przeszedł młody, bardzo wysoki mężczyzna. Miał obcięte na jeża włosy i okulary na długiej, uważnej twarzy. Dolna szczęka wysunięta ciekawie do przodu pierwsza rozpoznawała teren. Szedł powoli, wyciągając długie, chude nogi zagubione gdzieś w szerokich powiewających spodniach; bluza z naszytymi kieszeniami też wisiała na nim luźno, uwypuklona jedynie na pałąkowatych plecach. Jego blada twarz łączyła się z wypłowiałą, wojskową zielenią bluzy. Jedynym weselszym akcentem kolorystycznym był czerwony krawat.

– To jest ten, co mieszka na górze – powiedziała Szprycha.

– Blokowa mówiła, że on pisze książki – dorzucił Kaju.

– Robi ci konkurencję – powiedział Pająk.

– Wcale nie książki, tylko do gazet różne artykuły – sprostował Mareczek. – Wiem, bo czytałem w „Głosie" o jednym robotniku, co odkrył jakiś sposób na polerowanie detali do maszyn, i został racjonalizatorem, wszystko napisane, co tamten mówi o sobie, że przyjechał zza Buga i się zaraz przyzwyczaił...

– Etam, myślałam, że może o miłości.

– Taa, jak się zakochała przodująca dójka w jednym szlifierzu i zaraz wzięli ślub, ona w ZetEmPe, on w ZetEmPe, więc nie potrzebowali kościelnego.

– I żyli na kartę rowerową.

– A mojego brata kolega jest w ZetEmPe, a miał cichy kościelny.

- Moja siostra w przyszłą niedzielę.
- Widać już?
- No, pójdzie w białej sukni, ale bez welonu, bo nie jest dziewicą.
- Noc poślubna w grobowcu – powiedział bez sensu Mareczek.

Redaktor wracał z paczką papierosów w ręce. Jego wielkie przybrudzone tenisówki mierzyły podwórko równymi krokami.

- Do kiosku w krawacie, jak na pochód.
- Ojciec Elżuchy też jej każe w chuście chodzić cały dzień.
- No to jej każe, ale temu nikt nie każe.
- Skąd wiesz.
- No bo wiem.
- Masz już zeszyty? – spytała Szprycha Mirę.
- Mam, trzy do polskiego, trzy do matematyki i cztery gładkie.
- Atrament i stalówki kupiłam u Czajki, mówię ci, jak cienko piszą.
- Mi się nie chce nawet myśleć o lejach. – Mareczek zmartwił się tematem. – Znów się zacznie, dzień w dzień.
- Ja na początku lubię.
- Taa – powiedział Pająk – ja też lubię pisać w nowym zeszycie, ale tylko na pierwszej stronie: „Uczyć się, uczyć się, uczyć się", słowa Lenina.
- My tak zawsze piszemy drukowanymi literami i to się podkreśla czerwonym.
- Ja tam nie lubię ani na pierwszej, ani na ostatniej, a jak widzę tę Starą Słoninę, jak wchodzi do klasy, to mi się... – Mareczek znów nie mógł dokończyć ze względu na jutrzejszą komunię.

- Nasza Kostusia jest lepsza.

- No, Kostusia przy Słoninie, nawet nie ma porówna-
nia, dzień do nocy.

- A mieliście już coś ze Smyczkiem?

- Umuzykalnienie.

- A my lekcje wychowawcze.

- On przyjeżdża codziennie z Puszczykówka na rowerze, ze skrzypcami na bagażniku.

- Na wszystkim umie grać.

- My mieliśmy z nim wuef.

- Piłę też umie kopać.

- Nas nauczył jeszcze przed wakacjami śpiewać „Suli-
ko".

- To podobno jest ulubiona pieśń Stalina.

- Skąd wiesz?

- Ela mówiła, ona wie od ojca, jej ojciec wszystko wie,
podobno ma o nim napisać książkę.

- Stalin się naprawdę nazywa Soso Dżugaszwili, będziecie to jeszcze czytali - powiedział Pająk.

- Ale to smutna pieśń.

- Zaśpiewaj, Kaju.

Kaju wahał się przez moment, lubił i umiał śpiewać.
Na wszelkich uroczystościach kościelnych śpiewał w chórze, czasami nawet miał solówkę, na akademiach szkol-
nych występował w duecie z Włodasem, śpiewając na dwa
głosy „Asturię".

- „Chciałbym znaleźć mej miłej grób, smutek co
dzień me serce gniótł" - zaczął, ale zaraz przerwał. - Nie
chce mi się śpiewać, to trzeba tak wysoko ciągnąć...

- „Asturia" jest lepsza.

- Teraz pachnie jak w palmiarni. - Pająk wciągnął powietrze nosem.

Słońce, które dziś wcale nie wzeszło, pokazało się dopiero w czerwonym zachodzie, było późnoletnie, ale miało jeszcze sporo mocy, tak że ziemia parowała ogrzewana jego ciepłem, a trawa zapachem przeczuwała koszenie.

Córka Stróżki w granatowym mundurku szła przez podwórko trzymana za rękę przez matkę, też wyelegantowaną.

– Idą do spowiedzi.

– No, jej matka musi się wyspowiadać z Edy.

– Szóste przykazanie.

– Ale było, jak przyszła Edosiowa...

– Ale jej dała.

– A jak on spierdalał.

– Róże jej wtedy przyniósł – powiedziała Szprycha rozmarzonym głosem.

– A ta, jak zobaczyła, moje róże! z mojej działki! jak wzięła ten wazon i o ziemię.

– Ale, jaka cwana, weszła oknem od kuchni.

– Żebyś jej nie powiedział, że otwarte, toby nie weszła – przypomniała Mira Kajowi.

– A co, ma swoją żonę i dorosłe dzieci, to co.

– I tymi różami ją gdzie popadnie, a Eda pory gubił, tak spierdalał, aż mu się te żółte ręce trzęsły.

– Teraz już nie przychodzi.

– Przychodzi, przychodzi, tylko tak, żeby nikt nie widział.

– Ona poszła do jego pracy i tam na zebraniu mu przetłumaczyli.

– Poszła do dyrektora i powiedziała, co ma na wątrobie.

- Taka żona, co w pracy skarży, nic niewarta.
- A co ma robić, jak on wszystko z domu dla tej wynosi?
- Że raz przyniósł róże z działki, to zaraz doniosła i miał sprawę z tego, i dostał ostrzeżenie na komórce.
- A ty skąd wszystko wiesz?
- Słyszałem, jak Blokowa mówiła mojej matce, bo byli u niej pytać o naszą Stróżkę, co to za jedna.
- Blokowa udawała, że nic nie wie, tak mówiła do mojej matki.
- Mówić to mogła dużo, cygani jak najęta.
- Pewno, wszystko powiedziała i pewno jeszcze dodała od siebie.
- Taka jest.
- No, się mści na wszystkich za to, że jej Bacha lata pod koszary.
- Ja już muszę iść - odezwała się smutno Mira. - Matka mi kazała wcześniej przyjść pomóc przy kolacji.
- Taa - powiedział Pająk do swoich myśli.

* * *

- Wuja, jest coś na złom? - spytała grzecznie Szprycha - bo nam kazali przynieść, robimy współzawodnictwo z czwartą A.
- Ja już się chyba na złom nadaję - powiedział Wuja, ocierając nos rękawem drelichowego kombinezonu. - Wejdź za szopę, co tam znajdziesz, to twoje.
- Wuja, a czy to prawda, że mają zamknąć?
- Kogo znów?
- No, warsztat Jazończyka.
- A kto takie pierdoły roznosi?
- Blokowa mówiła.

- Blokowa niech uważa, żeby jej kto pyska nie zamknął.

- To Wuja tu będzie pracował?

- Będziemy upaństwowieni, Jazończyk będzie kierownikiem, a ja pracownikiem, przynajmniej człowiek będzie miał ubezpieczalnię, na starość rentę i można za darmo chorować.

- Mój ojciec też chciał się upaństwowić, ale mówi, że nie umie pracować nie na swoim.

- Niech się lepiej nauczy.

- Ale on jest chory na serce i nie może pracować na akord.

- Jaki tam akord, twój ojciec jedzie na wykopki z Izbą Rzemieślniczą?

- No, jedzie, matka już się boi, co to będzie.

- Będzie, będzie, tak samo jak po stonce.

- Niech Wuja nie straszy.

- Czego się boisz, czy twój ojciec kiedy cię uderzył, muchy by nie skrzywdził.

- Ale potem był chory.

- Od wódki jeszcze nikt nie umarł, przynajmniej nie od razu, twój ojciec ma zaprawę.

- No, ale po stonce był sztywny, nawet nie mógł wejść na górę, tylko siadł na pierwszym stopniu, matka mu podłożyła poduszkę pod tyłek i tak spał.

- Jak tylko przyjechaliśmy na tę wieś, to od razu było śniadanie, na stole mleko, a pod stołem wódka, siedziałem koło twojego ojca, miał spust, po śniadaniu przychodzi do nas przewodniczący tej spółdzielni produkcyjnej i po cichu mówi: panowie, nie szukajcie za dokładnie, żebyście za dużo nie znaleźli, bo się bali, że im zadepczemy ziemniaki, no i wstyd, że tak dużo, po każdej takiej akcji połowa zadeptana, zaraz potem wczesny obiad i znów, szklankami się piło, później niektórzy się pospali pod drzewami, a reszta u przewodniczącego, kto jeszcze mógł, a potem autokar i do domu.

– Nigdy nie mogę pojechać na kolonie – poskarżyła się Szprycha – bo ojciec prywatna inicjatywa.

– Zrób sobie kolonie na podwórku.

– Ale ja bym chciała jechać, wszyscy pojadą, a ja zostanę i znów mnie wyślą do Puszczykówka, do pensjonatu.

– Jeszcze czas – powiedział Wuja – dopiero co szkoła się zaczęła, a wy już o koloniach, idź po ten złom.

Szprycha weszła za szopę, tornister trzymała w ręce, bo przyszła tu prosto ze szkoły, żeby nikt jej nie uprzedził. Napchała pełno żelastwa, podziękowała Wui i szła do wyjścia.

– Pozdrów ojca – zawołał za nią, mimo że widział go codziennie rano wędrującego z kiosku z papierosami i świeżutką, ciepłą, pachnącą drukiem gazetą.

Tornister był bardzo ciężki i tak przepełniony, że kawałek żelastwa upadł na ziemię, schyliła się, żeby go podnieść, kiedy ktoś zasłonił jej oczy dłońmi.

– Kaju – zgadywała.

– Nie – odpowiedział jej ktoś sztucznie grubym głosem.

– Włodas.

– Nie. – Ręce nie puszczały, zaciskały się silniej na jej oczach.

– Może Pająk? – Uwolnionymi oczami popatrzyła na Pająka.

Nie widziała go parę dni.

– Ciężko ci szło. – Wziął od niej tornister i dalej szli już razem.

Stanęli przy murku pod oknami. Małe drzewko jarzębiny, już prawie bez liści, pokryte było czerwonymi owocami jak naroślą.

– Ja na wszystko haruję – wrzeszczał jakiś głos kobiecy – wszystko masz, a nie możesz zrobić tego, o co mi chodzi, jeżeli nie pójdziesz zaświadczyć, to przegramy, przegramy, rozumiesz, prze-gra-my – z otwartego okna słyszało się każde słowo.

– Oto pani Donata Rytygier w całej okazałości – powiedział Pająk, przechylił się przez płotek, wziął grudkę ziemi i rzucił w okno.

Schowali się w bramie wjazdowej.

– Nie mogłaś zgadnąć.

– Bo ty tak nigdy nie robisz.

– No pewnie.

– Podobno Wuja mają upaństwowić.

– To nie zamkną?

– Nie, Wuja mówił, że upaństwowią, ale on się tym nie martwi.

– Co się ma martwić, pensję zawsze dostanie, a się tak nie narobi.

– Byliśmy dzisiaj w kinie, klasy czwarte i piąte.

– My nie, mamy powtórki ze wszystkiego.

– „Szkarłatny Kwiatuszek".

– Widziałem to, też byliśmy, taka ruska bajka.

– No, kolorowa.

– Dla dzieci.

– Byliśmy z panią od rysunków, bo będziemy z tego rysować na konkurs.

– Podobno dostaniesz nagrodę w konkursie recytatorskim? – zapytała po chwili milczenia.

– Kto ci to powiedział?

- Wszyscy tak mówią, słyszałam, jak mówiłeś wiersz, u nas w klasie puścili przez kołchoźnik.
- We wszystkich klasach.
- A co to było?
- Urywek z „Pana Tadeusza".
- Ja na razie znam tylko „Obłoki".
- „Obłoki" każdy zna, pamiętasz, jak Juras wszedł na ławkę na apelu? Wszedł i nawija w takim natchnieniu, „u nas dość głowę podnieść", i podnosi głowę, i patrzy na sufit, „ileż to widoków", stoi z zadartą głową, jeszcze ręce rozłożył, żeby pokazać, ile to widoków u nas, i jak nie zleci, to aż się cała szkoła zatrzęsła ze śmiechu, nawet nasza Słonina się śmiała, aż jej łzy leciały, cały nastrój się zepsuł, on się prawie poryczał, ale jeszcze raz powiedział do końca, tylko już nic nie pokazywał.
- Który Juras?
- Nie znasz go, on już wyszedł ze szkoły.
- Taki mały, okrągły na twarzy?
- No, mieszka obok szkoły.
- To wiem który.
- Chodzi z Henią.
- A ty z kim chodzisz?
- Coś taka ciekawa?
- Tak sobie.
- Nie mam czasu, skończę technikum, a potem pójdę na Polibudę.
- A skąd wiesz, co będzie za tyle lat?
- Każdy ma prawo planować, nie?
- No.
- A wiesz, że siostra Kaja poszła do kliniki?
- Nie.

– No, złapały ją bóle, chociaż to jeszcze za wcześnie.
Kaju mówił, że tak jęczała, jak nie wiem.
– Nie było go dziś w szkole.
– Chociaż coś ma z tego.
– Ten jej teść jest podobno bogaty.
– Wiadomo, fryzjer zawsze potrzebny.
Pająk wyciągnął zeszyt do klasówek i podał dziewczynce.
– Słonina przyniosła nam klasówki do poprawy.
Szprycha czytała duże wyraźne litery, z niepotrzebnymi ozdobnymi wygibasami.

Wypracowanie klasowe (19 IX 1952)
W jaki sposób przedstawia Stanisław Staszic dolę chłopa pańszczyźnianego w Polsce w XVIII w.
Plan:
1. Wstęp
2. Rozwinięcie tematu
a. Wygląd zewnętrzny chłopa
b. Pożywienie
c. Mieszkanie
3. Zakończenie
Stanisław Staszic był pisarzem politycznym. W dziele swym pt. „Przestrogi dla Polski" opisuje dolę chłopa pańszczyźnianego.
Staszic stara się pomóc chłopom. Chłop był chudy i oczy miał zapadnięte. Oddychał ciężko, gdyż miał dychawicę. Był ubrany w skóry lub siermięgę. Jadł chleb ze śrutu, czyli mąki tylko raz przemielonej.

– To dlaczego sobie jeszcze raz nie przemielił? – spytała złośliwie Szprycha.

Przez jedną czwartą roku jadł zielsko. Popijał wodą lub wódką, która paliła mu wnętrzności.

– O matko, bo się zlituję nad nim, wódkę musiał pić?

– szybko przeleciała oczami dalszy ciąg.

– Dlaczego dostałeś tylko dobrze? Za trzy przecinki?

– No, Słonina obniża za przecinki.

– Przecinki są najtrudniejsze, bo nigdy nie wiadomo na pewno gdzie.

Szprycha oddała zeszyt Pająkowi i już otwierała usta, żeby coś jeszcze powiedzieć, ale się powstrzymała.

– Coś chciałaś powiedzieć – zauważył Pająk.

– Nie, nic.

– Widziałem, jak otworzyłaś usta.

– Nie, nic ważnego.

– No to powiedz.

– Chciałam się o coś zapytać.

– O co?

– Czy będziesz przychodził na podwórko?

– Może jeszcze przyjdę, ale od przyszłych wakacji już na pewno nie.

– No pewnie, jak będziesz w technikum.

– No, ale... zresztą zobaczymy.

– Ja pójdę do liceum.

– Ja muszę mieć od razu zawód, na wszelki wypadek, tak jak Marych, musi matkę utrzymać, a wieczorem się uczy.

– A co mu się stało wtedy w oko?

– Nic, bił się.

– Marych by się tak nie dał, on na rękę wszystkich położył.

– Ale ich było więcej.

– Świnie.

– Pewno, że świnie.

– Ale się zemścił?

- Już ty się nie bój o Marycha.
- Muszę iść do domu, bo moja matka się zawsze boi, że mi się coś stało, jak od razu nie przyjdę.
- A będziesz mogła się przejść?
- Jak zostawię torbę, to może tak, ale chyba już będzie obiad.
- A po obiedzie?
- Muszę odrobić lekcje, ale robię szybko.
- Która jesteś w klasie?
- Trzecia, pierwsza jest Ninka, drugi Beksa, a ja trzecia.
- Ja jestem siódmy.
- A według wzrostu? - spytała Szprycha, choć znała odpowiedź.
- Pierwszy.
- A ja druga, ale tylko z dziewczynek.
- To o której możesz wyjść?
- O czwartej.
- Wyjdź siódemką, ja będę przy zegarmistrzu - powiedział Pająk.

Szprycha szła do domu, nucąc piosenkę, której uczyli się na chórze: „Ljekko na sjerdce at pjesni wjesołoj, ana skuczać nie dajot nikakda", co prawda rosyjski dopiero w piątej klasie zostanie wprowadzony, ale pan napisał im po polsku i nauczyli się na pamięć, bo to będą śpiewać na akademii z okazji rewolucji październikowej, ładna, taka melodyjna, pomyślała Szprycha, znajoma, bo często nadawali ją przez radio; nucąc, zadzwoniła do domu i czekając, aż matka otworzy, pomyślała: przecież on się ze mną umówił.

* * *

- I tak cię wczoraj widziałam - powiedziała Elżucha.
- Widziałam, jak się za rogiem spotkaliście, patrzyłam z balkonu.
- Mówiłaś komuś?
- Coś ty.
- To ci powiem, jak było.
- A gdzie poszliście?
- Nad Rusałkę, ale żeby tylko Mira się nie dowiedziała.
- Najwyżej się dowie.
- Obeszliśmy całą Rusałkę dookoła, nikogo nie było.
- Całowaliście się?
- Nie, tylko raz przy mostku. Już jak obeszliśmy, Pająk mi powiedział, że Rusałka to jest sztuczne jezioro.
- Jak to sztuczne? Przecież jest prawdziwe.
- No, ale wykopali je dopiero w czasie wojny, Żydzi kopali pod okiem Niemców, wszystko mi powiedział, a potem ich wszystkich pozabijali i do dołu.
- Niemcy to są największe świnie na całym świecie - powiedziała Ela, zaciskając opalone dłonie na poprzeczce trzepaka.

Siedziały na trzepaku, machając nogami, wysoko nad ziemią. Milczały nad zdaniem, które zostało powiedziane.

- Całowaliście się z językiem? - spytała Ela po dłuższym czasie.
- Coś ty, tylko tak. - Szprycha musnęła ustami policzek Eli, żeby jej dokładnie pokazać.
- No, ale zawsze, ja się z nikim nie całowałam.
- A za fanty?
- Etam, za fanty się nie liczy.
- Ja też tylko za fanty.
- Ale za to teraz z Pająkiem.

173

- No, i mi jeszcze coś powiedział.
- Powiesz co?
- Nie mogę.
- Ale ja nikomu nie powiem, a za to powiem ci, co wczoraj widziałam.
- No to powiedz.
- Ale ty pierwsza.
- Nie, ty.
- Nie, bo to, co ja powiem, to jest okropne.
- Powiedział mi - Szprycha pochyliła się do ucha Eli i szeptała tak cicho, jak to było możliwe, tak jakby tę tajemnicę bała się zdradzić sama przed sobą - o tym i o tamtym, i tak po trochu na każdy temat, i o książkach, i on powiedział, ile to się mądrości zmieści w takiej małej główce, tak żartem, i pogłaskał mnie po włosach.
- Naprawdę? Tak ci powiedział? - spytała z zazdrosnym niedowierzaniem Ela.
- Jak Boga kocham - powiedziała Szprycha poważnie - tego bym ci nie skłamała.
- No to masz dobrze, on się na pewno chce z tobą ożenić.
- Ale, coś ty.
- Mówię ci, na pewno, jak ci to powiedział.
- Teraz ty powiedz - poprosiła Szprycha.
- Ja wczoraj widziałam tego małego trupka.
- O Jezu! - Szprychą wstrząsnął dreszcz.
- No, jak matka Kaja wyszła i nikogo nie było, to on mnie zawołał i mi pokazał.
- O Jezu, i co?
- Takiej długości. - Ela rozłożyła dłonie na wielkość wigilijnego karpia. - Cały siny, był owinięty w pieluchę,

wyglądał jak staruszek, chudy, że i tak by nie wyżył, same kości i skóra, był na razie włożony do takiej dużej szuflady w szafie na dole, aż przywiozą trumienkę, pięć dni miał, za wcześnie się urodził, za słaby był.

– Dobrze, że zdążyli go ochrzcić.

– Co mu to pomoże.

– Kaju mówił, że jego matka powiedziała, że to kara boska za ten grzech, ale że i tak lepiej, boby nie dali rady, na imię miał Pawełek, ale mówię ci, nigdy nie widziałaś, wszystkie kosteczki dokładnie można mu policzyć.

– Dotknęłaś?

– Coś ty, nie wolno dotykać, bo można się zatruć trupim jadem, Kaju tylko otworzył szufladę i patykiem odsunął pieluchę, i patrzyliśmy z góry, w tej pieluszce wyglądał zupełnie jak taka wysuszona mumia Faraona, od razu mi się przypomniało, jak opowiadałaś o tym ołtarzu Boga Słońca.

– Dobrze, że jego siostra też nie umarła.

– No, na całe szczęście, będzie mogła jeszcze mieć dużo dzieci.

– Podobno darła się na całą klinikę, jak rodziła.

– Ja bym się bała.

– Ja też.

– Ja nie chcę mieć dzieci.

– Ja też nie.

– Ty będziesz miała, jak się Pająk z tobą ożeni.

– Przestań, Elżucha, chcesz, żeby ci powiedzieć, a potem się śmiejesz.

– Ja się nie śmieję, to prawda, a wiesz, że jak graliśmy we flirt towarzyski, to mi Włodas przysłał coś niemożliwego.

– Co?

- A kiedy będziesz moją żoną, obarczę dziećmi, niań-
ką, boną.
- No widzisz.
- No to co, to tylko tak we flircie.
- Nigdy nic nie wiadomo.
- Przelecimy się na rozgrzewkę?
- Do płotu i z powrotem?
- No, start.

Ścigały się zawzięcie, a chłopcy grający w moniaki
podzielili się na dwie grupy, jedni dopingowali Elę, drudzy Szprychę. Do płotu dopadły równocześnie.

- Idę po płaszcz - powiedziała Ela.
- Ja też, co będziemy latać jak głupie.

Strach ma niebieskie oczy

– Luty pluty – powiedziała Blokowa – zawsze się sprawdza.

Dzieci toczyły śnieżne grudy, przygotowując z nich Bałwana.

– Taki brudny ten śnieg, dajcie spokój.

– Tu pod płotem wcale nie jest taki brudny.

– Wygląda jak zeszłoroczny.

– Ale za to dobrze się klei – powiedział Pająk, którego kula była największa ze wszystkich.

Szprycha oklepywała podłużny tułów, a Mira głowę.

Mały brat Miry położył się na brudnym śniegu i poruszał wahadłowo rękami i nogami, odgarniając go tym sposobem na boki. Inne małe dzieci stały wokół i patrzyły na niego z podziwem. Cały był już utytłany w wilgotnym brudzie, kiedy matka otworzyła okno i wrzasnęła przeszywająco:

– No, ty mały gnoju, wstaniesz mi zaraz!

Zerwał się przerażony, a wszyscy zaczęli go otrzepywać.

– Jeszcze raz i nie wyjdziesz na podwórko! – Zamknęła okno, ale patrzyła jeszcze zza szyby.

– Za to mamy orła – powiedział Mały Gnój pogodnie.

– Ale ma duże skrzydła.

– Zrobimy mu płot, żeby nie uciekł – wpadł na pomysł Księżulo.

- Ty głupi, orzeł ma skrzydła, to ucieknie, musi mieć klatkę.

- Narysujemy kratę.

- Nie, ja nie dam go zakratować, to jest mój orzeł.

- Taki tam orzeł - obraził się Księżulo - ani dzioba, ani pazurów, ani nic.

- Mira - poprosił Mały Gnój, podbiegając do siostry - narysuj mi dziób i pazury dla orła.

Mira zostawiła na moment głowę Bałwana i patykiem dorysowała dziób i pazury, które się nie udały, przypominały ręce splecione do modlitwy. Zmazała je i próbowała jeszcze raz, aż zniecierpliwiona rzuciła patyk i wróciła do bałwaniej głowy. Za moment miała nastąpić najważniejsza część, złożenie trzech kul w Bałwana.

Ustawiali tułów na olbrzymiej dolnej kuli, wzmacniając go w pasie. Bałwan był wielki, górował wzrostem nad wszystkimi dziećmi, nawet nad Pająkiem, który musiał wysoko w górę wyciągać ręce, aby dotknąć czubka jego głowy.

Bez twarzy, bez oczu z węgla i nosa z marchwi wyglądał groźnie. Małe dzieci, które doszły wreszcie do porozumienia co do ogrodzenia orła, żeby go nie zadeptać, stały w pewnej odległości, przyglądając się olbrzymiej zimnej postaci.

- Dupę ma jak pani Donia - odezwał się wreszcie Mały Gnój i wszyscy się roześmieli.

- Kto pierwszy znajdzie dwa węgle? - powiedział Pająk.

Rozeszli się po całym podwórku, szukając odpowiednich węgielków w przybrudzonym śniegu. Szprycha w tym czasie rzeźbiła nos. Pająk podsadził ją, żeby mogła go przykleić, nacisnęła jednak za mocno i głowa pękła na dwie części; spadły z wysoka, ale nie rozbiły się.

- Najpierw zrobimy całą głowę i nałożymy gotową - powiedział Pająk.

Wydatny nos w kształcie grubego, zaokrąglonego trójkąta świetnie pasował do wielkiej, okrągłej jak kula armatnia głowy.

Szprycha podeszła do orła i zabrała dwa patyki z jego płotu.

- To jest płot orła - rozryczał się Mały Gnój.

- Znajdziesz inne.

Połamała patyki i umieszczała jeden obok drugiego w dziurze ust. Wreszcie Kaju przyniósł dwa równe węgielki i głowa Bałwana zaczęła patrzeć.

- Jak na razie to ma zeza - powiedział Pająk oceniający samą głowę z pewnej odległości.

Szprycha przesunęła prawe oko bliżej nosa.

- Jak Boga kocham, Picasso! - zawołał Mareczek, który razem z Elą wrócił z EmDeKu.

Szprycha wzięła dwa grube krótkie patyki i umieściła nad oczami, nad błyszczącymi jak węgle czarnymi oczami, wysunięte do przodu krzaczaste brwi. Teraz Pająk znów podsadził Szprychę, żeby połączyła osobną głowę z resztą oczekującego spokojnie ciała.

Wszyscy odsunęli się nieco, podziwiając go z pewnej odległości jak artyści niedzielni malujący olejne pejzaże.

- Niemożliwie mi kogoś przypomina, ale to niemożliwie - powiedział Pająk.

- Myślisz, że nie wiem kogo?

- Każdy wie.

- Mnie nie przypomina nikogo.

- Powinien mieć coś na głowie.

- Ale co?

- Może jakiś garnek ze śmietnika.

- Ja nie będę grzebał po śmietnikach, nie jestem geme-
larzem.
- Musi mieć guziki - zauważyła Szprycha.
Przyniesione i porozsypywane dookoła węgle zostały
wyzbierane i umieszczone jeden pod drugim.
- Nie tyle, to nie ksiądz.
- Ale co na czapę?
- Może czapkę z gazety - zaproponowała Ela.
- No, niech będzie.
- Przyniosę wczorajszą. - Poleciała do domu i już po
chwili była na dole. Podała gazetę Pajákowi, a on z poło-
wy wprawnymi ruchami zrobił czapkę w kształcie łodzi,
zagiął coś w rodzaju daszka i wsadził Bałwanowi na łeb.
- Ale patrzy, ale duma.
- No, tylko zęby ma rzadkie - Pająk włożył mu mię-
dzy zęby prawdziwego papierosa, którego wyciągnął z kie-
szeni. Papieros zupełnie zniknął w olbrzymich ustach.
- Powinien mieć faję. - Mareczek zasępił się, intensyw-
nie myśląc, skąd wytrzasnąć fajkę.
- Mój ojciec ma fajkę - powiedziała Ela - ale nie da.
- Pewnie, że nie, zresztą musiałaby być wielka faja.
Pająk dokleił Bałwanowi rękę, wsuwając mu pod pa-
chę drugą część gazety.
- Brzydki bałwanek - powiedział Księżulo.
- Smok - dodał Mały Gnój - ożyje i cię zeżre, huhu-
hu - postraszył Księżula.
- Co by mu jeszcze zrobić - zastanowiła się Szprycha.
- Czegoś mu jeszcze brakuje.
- Duszy - powiedział Mareczek, podszedł do Bałwana
i chuchnął mu w plecy. - Jak będzie miał duszę, to już
będzie miał wszystko.
- Ciekawe, czy wytrzyma do jutra.

- Jak mu nikt nic nie zrobi, to wytrzyma, bo w nocy na pewno będzie mróz.

Blokowa, która skończyła rozmawiać z jakąś nieznaną nikomu kobietą, rozglądającą się ciekawie po podwórku, podeszła do grupy dzieci. Patrzyła chwilę prosto w przenikliwe, odważne oczy Bałwana.

- Już jak wy co zrobicie - powiedziała oschle. - Nawet ładnego bałwanka nie umiecie zrobić, od razu musi być straszydło, kogoś mi przypomina, ale nie wiem kogo. - Przyglądała mu się badawczo, jakby on sam miał się przedstawić, przyzwyczajona do tego, że wie wszystko, że jest najlepiej poinformowaną osobą w całej kamienicy, a nawet dalej, wiedziała wiele o lokatorach spod innych numerów, musiała się natychmiast dowiedzieć, do kogo Bałwan jest podobny. - Kto to ma być? - spytała przymilnie, a nie dostawszy odpowiedzi, powtórzyła ostrzej: - No, mówcie, kto to miał być?

- Nikt - odpowiedział Pająk jako najstarszy, a inne dzieci powtórzyły: pewnie, że nikt.

Blokowa zmiękła, widząc, że niepotrzebnie naraża swój autorytet w głupich rozmowach z dzieciakami, roześmiała się tylko i zaczęła z innej strony.

- Czy to czasem nie jest ktoś z naszej kamienicy?

Dzieci popatrzyły na siebie i nie mogły opanować pełnego satysfakcji śmiechu, bo zdarzyło się nareszcie coś niesłychanego, że Blokowa nie wiedziała czegoś, co one wiedziały.

- Będziecie się jeszcze śmiać - powiedziała groźnie - jeszcze będziecie się śmiać, ten się śmieje, kto się śmieje ostatni. - I odeszła powoli, zmęczona różnymi urzędowymi sprawami, co to się trzeba nalatać, wszędzie trzeba być, wszystko wiedzieć, a tu jeszcze te głupie dzieciaki.

W oknie kuchni Inżynierowej siedziały dziewczynki, blade i smutne, z kolorowymi wstążkami we włosach, ciekawie i z utęsknieniem patrzące na Bałwana i kręcące się wokół niego dzieci.

– Zobacz te dwie, stale siedzą w oknie – powiedział Pająk do Szprychy.

– Czemu nigdy ich nie wypuści? – spytał Mareczek.

– Bo to lepsza wiara. – Kaju poklepał Bałwana.

– Ich ojciec jest w Czechosłowacji – powiedziała Ela.

– Taa, jest w Czechosłowacji. – Pająk długo spoglądał w okno.

Dziewczynki zniknęły.

– Matka kazała im zejść z parapetu, bo zobaczyła pewno, że patrzymy.

– Ja tam raz pójdę i się zapytam, dlaczego ona ich nie wypuszcza.

– Atam, dajcie im spokój, niech każdy robi, jak chce.

– Ale była ciekawa, kto i kto, wszystko wie. – Mareczek poweselał na samo wspomnienie Blokowej.

– Nadawałaby się do robienia przesłuchań – powiedziała nagle Mira i wszyscy zastanowili się w milczeniu.

– Też to robi. – Pająk udawał, że boksuje się z Bałwanem. – Jak do mojej matki przychodzi, niby coś pożyczyć, to zaraz by wszystko chciała wiedzieć, ale u mnie się niczego nie dowie.

– U mnie też – powiedziała Szprycha.

– U mnie też.

– U mnie na pewno nie.

– To ciekawe, skąd to wszystko wie?

– Pewnie podsłuchuje.

– Etam, są tacy, co powiedzą, jak im co załatwi, to powiedzą.

- Taa - powiedział Pająk - idę zrobić lekcje.
- Ja też zapomniałem. - Mareczek złapał się za głowę.

* * *

Mira przytupywała wielkimi kwadratowymi narciarkami, biła raz w jedną, raz w drugą kostkę, żeby rozgrzać nogi. Jej twarz była skupiona i zmartwiona jednocześnie. Stała na uboczu, tyłem do bawiących się dzieci, odwracając się od nich, żeby otrzeć łzy.

Wcześnie zrobiło się ciemno.

Szprycha, która ślizgała się na długiej, lśniącej ślizgawce, zerkała co pewien czas w jej kierunku. Podbiegła wreszcie i objęła Mirę. Najpierw szeptały coś, Mira kręciła głową, że nie powie, wreszcie weszły do bramy.

- Ale przecież to nie jest przymus - powiedziała Szprycha. - Przecież nikt nikogo nie może zmusić, u nas wyraźnie się mówiło, że to jest dobrowolne.

- Dobrowolne, ale wszyscy przyniosą, a moja matka powiedziała, że ledwo dla nas starczy i że jeden po drugim może nosić i nic nie chce dać.

- No jak nie ma, to skąd ma dać? Moja matka też powiedziała, że wstyd dawać stare rzeczy, ale jak te dzieci nie mają w czym chodzić, to nawet pocerowane można dać, tylko żeby było czyste, ja dam jeden szalik, taki zrobiony na drutach, jest zupełnie cały, ale nikt go nie nosi, bo mi babcia zrobiła nowy, i mam stare buty, już mi są za małe i nie mogę ich nosić, i kamizelkę zrobioną na drutach, po moim bracie, tam się zaceruje jedną dziurkę i będzie.

- No widzisz - zapłakała Mira głośno - sama widzisz, a ja nie mam nic, matka mi nic nie da, bo z czego ja wyrosnę, to zaraz Juras nosi, a potem Wojtek, a w końcu Mały Gnój to, co jeszcze nie jest w strzępach.

– Wiem! – zawołała Szprycha. – Wiem, co możemy zrobić!

– Co? – Z oczu Miry wyjrzało trochę nadziei.

– Pójdziemy do Przedwojennego Dyrektora Tramwajów, on ma czwórkę dorosłych dzieci, na pewno coś ma.

– Ja nie pójdę żebrać.

– Nie bądź głupia, ja powiem, przecież to nie dla nas, powiemy, jak jest, że to dla dzieci koreańskich, i może będzie coś miał.

– Ale, to nie będzie wtedy ode mnie, tylko od niego.

– Ale ty to przyniesiesz i ty dasz, nie wygłupiaj się, bo tak to nic nie będziesz miała, a tak przynajmniej coś, w końcu, co jest ważne, żeby te dzieci coś dostały, one przyjechały z daleka i tam u nich było zawsze ciepło, a tu taka zima, zresztą te rzeczy są nie tylko dla tych, co są tu, będzie się też wysyłało paczki tam do Korei.

– Nie mów? Naprawdę do samej Korei, tak daleko te rzeczy pojadą?

– No, samolotem albo pociągami, lekarstwa chyba też...

– Ale to wstyd wysyłać w paczkach stare lumpy.

– Co ty, wstyd, jak tam biednie, to żaden wstyd, jeden kraj musi drugiemu pomóc, jak u nas jeszcze teraz, chociaż już jest po wojnie, nadal wszyscy noszą rzeczy z Unry, nie? i nikt się nie wstydzi.

– Ale to są nowe rzeczy.

– Kto może dać nowe, niech da nowe, każdy coś przyniesie, to się zbierze, ja może dam moją lalkę, tę małą.

– Ale chyba nie dasz tej amerykańskiej?

- Coś ty, ojciec mi kupił za drogie pieniądze, to co - mam dawać, toby było za dużo, taka to znowu nie jestem, to jest moja lalka i ja się nią bawię, ale tę małą może dam, zrobię jej z wełny spódniczkę i zaniosę.

- Ja mam tylko Murzynka, to nie dam.

- Pewnie, że nie, zresztą zabawki nie są takie ważne, to sobie każdy może sam zrobić, ważniejsze jest mieć co na tyłek włożyć, żeby nie zmarznąć, nie?

- No pewno.

W nocy, tak jak przewidywał Pająk, ścisnął mróz i Bałwan stał sobie spokojnie w ciemnościach, kiedy na podwórku pojawiło się światło motoru Marycha wracającego z drugiej zmiany. Zapomniał o Bałwanie, który rozśmieszył go, gdy wyjeżdżał. Teraz ujrzawszy jakąś potężną sylwetkę stojącą niedaleko pakamerki, zatrzymał się na moment, czekając na to, co zrobi tamten, jakby co, to z nim nie mam szans, pomyślał, prowadząc wyłączony motocykl w ciemności, której nie pomagał dziś nawet mdły blask księżyca; był bardzo zmęczony, szedł powoli do przodu obojętny na to, co się z nim za chwilę stanie, miał dość już ciągłych lęków, odwracania się za siebie i bezustannego uważania, szedł, patrząc wprost w olbrzymiejącą postać. Kiedy był już zupełnie blisko, dotarło do niego wspomnienie Bałwana. Nie zastanawiając się długo, oparł motor o ścianę pakamery i kopał Bałwana za ten śmierdzący strach, którego mu napędził, kopał go z całych sił, ale Bałwan stał wyprostowany, pełen obojętnej godności, zastygły w swej skorupie, nie śnieżnej, ale lodowej, bo dzieci polały go przed pójściem do domu wodą z butelek, żeby dobrze przymarzł. Marych zastanowił się chwilę, patrząc w górę; jego wzrok już przywykł do ciemności, widział więc posiwiałe nagle topole, pochyloną

ze starości przyprószoną akację, i uczuł ciężar tego, co się dookoła niego działo.

– Bałwana się już, kurwa mać, boję – powiedział do siebie ze złością.

Odpowiedziało mu cienkie szczeknięcie Perły, czujnej nawet przez sen, dające mu do zrozumienia, że nigdzie nie jest zupełnie sam, że wiadomo, że stoi teraz na podwórku, zamiast szybko odstawić motor i gnać na górę do łóżka, żeby zasnąć nareszcie w bezpiecznym cieple. Wszedł do środka pakamerki, zapalił słabe światło i wyciągnął papierosy, na podłodze leżały części motocyklowe i narzędzia. Uspokoił go widok masywnego imadła ściskającego żelaznymi zębami połyskliwy metalowy pręt. Nagle usłyszał kroki biegnące przez podwórko.

Jednak czułem, że ktoś tu jest, pomyślał, biorąc do ręki imadło razem z prętem. Kiedy uchylił drzwi, nie dostrzegł nikogo. Dopiero po paru sekundach zobaczył ciemną, zgiętą sylwetkę człowieka wybiegającego z bramy. Może chciał się wyszczać, uspokoił się Marych, ale już po chwili przypomniał sobie prześladującą go postać; na niewielkim, stosunkowo drobnym ciele duża głowa o wielkim wypukłym czole i wąskiej brodzie, podobna w kształcie do schematycznych rysunków dołączonych do napisu: uwaga, wysokie napięcie, blada, zielonkawa cera, nieokreślonego koloru rzadkie włosy przyklejone do czaszki, wypłukane oczy, z których resztka niebieskości zdawała się wyciekać przy każdym spojrzeniu, i czarny flak deszczowy, to było wszystko, co pamiętał, mimo że widywał go bardzo często, spotykał takie oczy, idąc przed siebie i zawracając znienacka.

Zgasił papierosa o mur z taką siłą, że otarł sobie skórę palców. Nie śpiesząc się, wszedł na klatkę schodową.

Żeby nie matka, żeby nie matka, myślał, wkładając cicho klucz do zamka.

* * *

– Niejednokrotnie byłam u tego pana ze świadkiem. – Pani Donia stała w grupie kilku, a może nawet kilkunastu osób, na pierwszy rzut oka trudno to było określić, i głosem donośnym, akcentując co ważniejsze słowa, przedstawiała sprawę piwnicy. Z prawej strony pani Doni stała trzęsąca się, krucha i malutka staruszka, jej matka, przy potężnej córce wyglądająca jak mechaniczna zabawka.

Z lewej strony świadek, kobieta w woalce zakrywającej oczy, przysłuchiwała się uważnie wszystkiemu, co mówiła pani Donia. Miała na sobie gabardynową pelisę, którą rozpięła, bo zrobiło się ciepło, choć słońce nie grzało silnie. W kręgu najważniejszych osób byli jeszcze Blokowa, Stróżka, ojciec i matka Szprychy, Inżynierowa oraz tak zwane Ciało Społeczne wydelegowane do rozpatrzenia tej skomplikowanej sprawy. Ciało składało się z dwóch niczym nieróżniących się kobiet, starszej i młodszej, i z mężczyzny o pogodnej nieobecnej twarzy, co kilka chwil zamykającego oczy, żeby trochę podrzemać na stojąco. Wykorzystywał na to efektowne pauzy w przemówieniu pani Doni. Kiedy jednak dochodziła do kulminacyjnych zdań, grzmiąco przedstawiając swoją krzywdę, otwierał nagle oczy, dotykając równocześnie prawego ramienia, odskakującego nerwowo na dźwięk wyższych tonów jej głosu.

Niezainteresowani bezpośrednio stali parę metrów dalej, obserwując zdarzenia.

Matka Marycha głośno, tak żeby słyszano ją w tamtej grupie, nie kierując jednak swych słów do nikogo specjalnie, powiedziała w przestrzeń podwórka:

– Jakby co do czego przyszło, z więzienia by nie wyszła, wszystko, co mówi, to jedno kłamstwo.

– Mecenas, taki człowiek, a z nią nie może dać rady – poparła ją matka Najdusa. – Z nożem ją gonił, taki spokojny człowiek.

Dzieci słuchające w skupieniu, zainteresowane tym, co się będzie działo, zaczęły się śmiać.

– Wciąż ubywało i ubywało mojego węgla – ciągnęła pani Donia – mimo że my nie potrzebujemy wiele, palimy tylko w jednym piecu.

– Jak pani śmie – nie wytrzymał ojciec Szprychy – może tam, skąd pani przyjechała, były takie zwyczaje, ale tu, musi pani wiedzieć, że tu mieszkają uczciwi ludzie.

– Mam świadka na wszystko – powiedziała z pozornym opanowaniem pani Donia. – Oto mój świadek.

– Wskazała na kobietę w woalce, która stała się w tym momencie centralnym obiektem zainteresowania.

– Świadek ze spalonego teatru – nie wytrzymał Pająk.

– Dzieci, odejdźcie stąd. – Blokowa usiłowała z godnością piastować swój urząd.

– Kiedy zauważyłam, że ginie mi węgiel, a przecież nikt inny nie miał kluczy, tylko ci państwo – wycedziła ironicznie – zaczęłam posypywać węgiel mąką i obstawiałam go płotkiem z patyków, co komisja sama zobaczy, oglądając piwnicę, ci państwo, bo to prywatna inicjatywa, dziwię się, że pozwala się egzystować i bogacić prywatnym osobom, podczas gdy wszyscy inni pracują na państwowych posadach, ale to się już niedługo skończy...

Ojciec Szprychy pobladł, a jego żona szepnęła mu coś do ucha.

– O Jezu – powiedziała Szprycha do Pająka – zobacz, jaki blady jest mój ojciec. – Jej niebieskie oczy zabłysły łzami strachu, a Pająk speszył się zupełnie, nie wiedząc, co robić.

– Za każdym razem mąka była osypana, a płotek przewrócony, mam na to świadka, czy to nie dość, jeżeli zaświadczy o tym tak uczciwa osoba jak pani – niewyraźnie wymieniła jakieś nazwisko – czy to nie wystarczy, aby ukarać winnych?

Na schodkach klatki schodowej stanął Mareczek, który zajrzał na podwórko, wracając ze szkoły później, bo znów został w „areszcie". Zdziwionym wzrokiem objął ogromną liczbę ludzi, chyba tylu naraz nie było tu od śmierci Starej Pani Człowieku, i wolno kołysząc teczką, podszedł do dzieci. Pająk wprowadził go w całą sprawę. Zastanawiali się przez chwilę, co robić. To, co się działo, dawno przestało wyglądać na żart. Nikt nie bronił ojca Szprychy. Mówiła tylko pani Donia. To było niebezpieczne. Ciało przez cały czas słuchało argumentów jednej strony.

Dzieci podeszły bliżej i stanęły pierścieniem dookoła. Po chwili dołączyła do nich grupa dorosłych pod przewodnictwem matki Marycha. Pierścień zacieśniał się, tym w środku robiło się coraz goręcej.

– Tylko kapitalista może zdobyć się na coś podobnego – powiedziała pani Donia i umilkła, widząc wszystkie oczy skierowane na siebie.

– Nie pierdol – powiedział basem Mareczek, który ćwiczył się w mówieniu brzuchem.

- Mąż jest chory na serce - powiedziała matka Szprychy - i nie może się denerwować, może pójdziemy już do tej piwnicy?

Ciało naradzało się krótko między sobą. Najstarsza siwa, gładko uczesana, tęga kobieta spojrzała ze współczuciem na ojca Szprychy.

- To jest Niemra - powiedział głośno Pająk - fałszywa Niemra.

- Donata Rytygier - poparł go Mareczek - niech jedzie tam, skąd przyjechała.

- Niemra - powiedziała zadowolona matka Marycha.

- Kłamie jak Niemra.

Pani Donia straciła mowę. Otwierała usta, łapała powietrze i nie mogła wydobyć głosu.

- Idziemy obejrzeć piwnicę! - zawołał Przewodniczący ponad pomrukiem.

Ruszyli wszyscy, pochodem, po dwóch, po trzech.

- Czy pani jako świadek - mężczyzna, któremu znów opadły powieki i nagle się podniosły, zbliżył się do kobiety w woalce - może stwierdzić pod przysięgą, że pani widziała, jak ten pan kradł węgiel pani Rytygier?

- Nie - powiedziała cicho kobieta - ja tego nie widziałam, tylko tyle, że mąka była osypana i płotek przewrócony, to mi pani Donia pokazywała.

Ojciec Szprychy otworzył zamek i wszyscy rozstąpili się, żeby przepuścić Przewodniczącego i dwie kobiety z Komisji.

Ukazało się wąskie i długie wnętrze piwnicy, w połowie przedzielone chińskim parawanem. Komisja weszła do środka. Nogawki Przewodniczącego zahaczyły o drewienko małego płotu i misterna konstrukcja poszła w gruzy. Mąka pokryła buty Komisji, biały puder wirował w powietrzu, suche drobinki wciskały się do nosów.

Starsza kobieta kichnęła głośno eeef-ći i jeszcze raz eeef-ći.

– Na zdrowie – powiedziała matka Szprychy.

– Bóg zapłać – powiedziała kobieta automatycznie, a przypomniawszy sobie, że jest w tej chwili na służbie, dodała szybko – dziękuję.

– Ja cię przepraszam – powiedział z gniewnym niedowierzaniem Przewodniczący, patrząc na swoje buty, które z czarnych zrobiły się zupełnie białe – przecież tu nie można przejść.

Pani Donia odzyskała głos.

– Niech pan Przewodniczący spojrzy tam, ten pan przesunął ścianę, aby powiększyć swoją część.

– Nasrane, a niezamieszane – powiedział Mareczek.

– Niech te bachory stąd idą, co to jest, żeby bachory były wszędzie – pani Donia naciskała na Przewodniczącego.

– Tylko nie bachory – odezwała się matka Marycha. – To, że ktoś jest starą panną, nie świadczy zaraz, że dzieci to są bachory.

– Przesunął ścianę? – Przewodniczący popatrzył z niedowierzaniem na gruby mur z czerwonej, jakby średniowiecznej cegły układanej raz cała, raz pół, główka wozówka, główka wozówka, jak w gotyckich katedrach. – Nośną ścianę przesunął, czy pani aby nie przesadza?

Mareczek puknął się otwartą dłonią w czoło, aż klasnęło. Pani Donia w odpowiedzi splunęła. Przewodniczący podszedł do ściany wskazanej przez panią Donię. Poskrobał w nią paznokciem, popukał zgiętym palcem, ale mur był tak twardy, że nawet nie było słychać pukania.

Obie kobiety z Komisji robiły to samo. Przewodniczący podniósł szczapkę i starał się wydłubać kawałek spoiwa spomiędzy cegieł. Jedna z dwóch kobiet wyciągnęła z włosów spinkę i skrobała nią nieregularny wzór na cegle.

– Niemożliwe – powiedział Przewodniczący – ta ściana nie mogła być przesuwana.

– To się jeszcze... – Pani Donia zacisnęła usta i słowo „okaże" zostało w nich uwięzione.

– Nie można przejść, żeby nie trącić tego płotu – zauważyła tęga kobieta.

– Tu się popiera prywatną inicjatywę – zemściła się pani Donia – ale ja znajdę sprawiedliwość, każdy, kto jej szuka, w końcu ją znajdzie, moja biedna stara matka nie będzie cierpiała z powodu...

Wszyscy spojrzeli teraz na staruszkę, która nagle zaczęła drżeć jak zmarznięty pies.

– Pani też ją znajdzie – powiedziała matka Marycha – w więzieniu za oszczerstwo.

Staruszka zaczęła płakać. Pomarszczona skóra jej twarzy układała się w symetryczne wzory zgięć i zmarszczek. Łzy ginęły w fałdach policzków, w pogłębionych przez starość bruzdach, przemywały zakamarki wyżłobione między nosem a ustami.

– Zgódź się, Doniusiu – powiedziała cicho.

– Nigdy. – Głos Doni przez kontrast z cichym głosem jej matki brzmiał wrzaskliwie.

– Miej litość, córeńko.

– Nigdy! – Wrzask pani Doni wstrząsnął ulicą.

– Ja cię przepraszam – powiedział znów Przewodniczący.

Wszyscy zaczęli mówić jednocześnie. Nikt nie dbał o to, czy ma, czy nie ma słuchacza. Tylko Szprycha milczała, patrząc na swojego ojca.

Był bardzo blady, a usta siniały mu zauważalnie.

Donia potrząsnęła ręką matki i powlokła ją między nagle utworzonym szpalerem ludzi, wśród gwizdów i tupania dzieci.

Starsza kobieta z Komisji podeszła do ojca Szprychy i powiedziała:

– Ja pana pamiętam sprzed wojny, ale też się pan musiał zaplątać z tą babą. – I dodała już zupełnie cicho wprost w jego ucho: – My wiemy, że pan tę ścianę przesunął, ale to zostanie między nami.

Ojcu Szprychy poróżowiały najpierw policzki, potem wrócił naturalny kolor ust, a potem, już nie mogąc powstrzymać śmiechu, oparł się o ścianę i to zginając się, to rozprostowując, śmiał się, aż łzy ciekły mu pod szkłami okularów, wycierał je rękawem koszuli i śmiał się dalej.

Czarny gołąb

Cienkie i czarne, delikatnie zarysowane gałęzie starej akacji drżały rytmicznie na tle szarego nieba. Zagięte jak szpony ptaka albo chciwe starcze palce trzęsły się miotane wiatrem, skostniałe z zimna, choć niedługo miała rozpocząć się wiosna.

Na razie jednak żaden pąk się nie wybrzuszył i nawet odrobina zieleni nie zakłóciła głębokiej czerni kory.

Tak samo drżały szkielety wysokich topól, drapiąc brutalnie swymi wierzchołkami nisko zawieszone niebo w stalowym kolorze munduru.

Zamknięte prostokątnym murem wysokich kamienic podwórko przypominało dziedziniec więzienny. Niskie drzewa owocowe z ogrodu za płotem skupiły się w małym kółku, jakby naradzając się nad czymś pod chwilową nieobecność strażnika.

Jedynie wystające ponad szaro otynkowany mur kamienic koniuszki topoli nie dawały się w żaden sposób stłamsić, jak czarna brakiem nadziei pieśń o wolności.

W tych drzewach nieokrytych śniegiem, nieubarwionych liśćmi kryła się ciężka depresja przyrody.

Stróżka wyszła jak co dzień z wiklinową miotłą zamiatać podwórko. Zaczynała zwykle od muru, pod którym dzieci rozstrzeliwały się z okrzykiem „hendeho!", i szła powoli w kierunku bramy wjazdowej, podmiatając przed sobą coraz większą kupę niepotrzebnych rupieci, porzuconych papierów, potłuczonych szkieł, skrawków materiału i wielu innych nierozpoznawalnych rzeczy. Zatrzymywała się w połowie podwórka na wysokości śmietników i wrzucała do kubła całą tę rozmaitość.

Śmieciarze się spóźniają, pomyślała, widząc wystające z pojemników śmieci.

Machinalnie poruszyła miotłą, zagarniając coraz to nowe drobiazgi, kiedy zobaczyła słabo opierzone ciało czarnego gołębia.

Leżał na boku, z głową prawie schowaną pod skrzydłem, z zakrzepłą kroplą ciemnej krwi na dziobie, z otwartymi zmatowiałymi oczyma i z rozkurczonymi, zesztywniałymi z napięcia pazurami, które wydawały się olbrzymie przy jego drobnym ciele.

Stróżka pochyliła się, sprawdzając, czy żyje. Trąciła go delikatnie miotłą, przewracając na drugi bok, a potem podłożyła szuflę pod lekkie zwłoki i niosła je ostrożnie do śmietnika.

Jeszcze dobrze, że go dzieciaki nie znalazły, myślała, zawsze pełno robactwa pod skrzydłami, choroby tylko roznosi. Niedobra nowina, znów wróciło do niej to, co pomyślała, jak tylko go spostrzegła.

Zupełnie czarny, jak węgiel; niepokój narastał w miarę, jak przypominała sobie szczegóły jego wyglądu, ciemną krew na dziobie, niewidzące oczy i czarny kolor piór. Widywała rozmaite odcienie granatu w połyskliwych głębokich piórach, ale ten był czarny jak heban. Jeszcze raz podeszła do śmietnika i zanim wrzuciła następną partię śmieci, obejrzała leżące na wierzchu zwłoki.

Może wpadł w sadzę? – zastanowiła się oparta na miotle. Niedobra nowina, szukała naprędce tego, co mogłoby się przytrafić, na kogo wypadnie i co to będzie: choroba, kalectwo, śmierć czy więzienie, oszczerstwo, obmowa, oszpecenie; ciekawe co.

Na wszelki wypadek zmówiła trzy szybkie zdrowaśki, ale niepokój nie chciał jej opuścić.

Pod tramwaj, nie, jest przecież taka ostrożna, tylko jedno przejście i tak rzadko jeżdżą, nie, a może on w wojsku? Nie, co tam w wojsku, chociaż przez przypadek, sam jej przecież o tym opowiadał, jak jeden drugiego postrzelił, albo ten, co się tak znęcał, ten kapral, nad jednym, aż go ten jeden na strzelaniu zabił na miejscu i zaraz pod sąd wojskowy poszedł i kulka w łeb, nie, ale to nie on, on ma w wojsku dobrze, gazetki robi, bo ładnie rysuje, w sztabie ciepłym sobie siedzi, nie, nie.

Zamiatała teraz ostro, zamaszyście, nie chcąc poddać się panice do końca, grzech z tym Edą, grzech, trzeba się będzie znów spowiadać, żeby Pan Bóg nie skarał, męża odbiera żonie i dzieciom, do spowiedzi trzeba znów pójść, a wstyd tak przed księdzem, ksiądz ją dobrze zna i ostatnio już zabronił wpuszczać Edę, ale jak to zrobić, Bóg widzi, jak ciężko kobiecie samej... Tyle tych gołębi, coraz więcej ich, a właściwie tylko choroby roznoszą i wszystko zasrają z góry do dołu... Żadnego pożytku, stare i żylaste, na nic się nie nadadzą, co innego te na targu, jak Kazia była chora, to zawsze gołąbka dostała, rosołek z gołąbka na chorobę najlepszy, nic nietłusty, a mięso białe i takie delikatne, że samo od kości odchodzi, w ustach się rozpływa, nawet umierający może to jeść.

Schyla się, bo na kupie śmieci leży niebieska, trochę tylko zmięta urzędowa koperta, stempel zatarty, maszynowy druk, da Kazi w domu do przeczytania.

Przerwała zamiatanie, bo usłyszała warkot motoru. Nareszcie przyjechali. Z ciężarówki wyskakują trzej śmie-

ciarze w szerokich, szarych kombinezonach przesyco-
nych zapachem zgnilizny, w olbrzymich rękawicach,
którymi gmerają w śmieciach, znajdując czasami zupełnie
dobre rzeczy, co też ludzie nie wyrzucają, mówi jeden
z nich, ten najweselszy, no takie rzeczy, że się w głowie
nie mieści.

Obok kubła stoi wielki pogięty abażur. Śmieciarz
podnosi go wysoko, ogląda ze wszystkich stron i przywra-
ca mu pierwotny kształt; dalej osobno butelki do worka,
osobno stare łachy, a reszta na platformę ciężarówki.
Mdlący smród zabija wszystkie inne zapachy na przestrzeni kilkunastu metrów. Zamykają się okna, które były
otwarte.

Stróżka stoi podparta na miotle w bezpiecznej odległości.

– Czemu dziś tak późno przyjechali? – woła.

Jeden z nich opiera się o ciężarówkę i otrzepuje rękawice z resztek lepkich świństw, jakie do nich przylgnęły.

Wysypali zawartość ostatniego kubła na kolorową,
zgniłą stertę połączoną wspólnym zapachem cieczy po-
wstałej przez ugniatanie resztek żywności, obierzyn, roz-
miękłych warzyw i wylanych skwaśniałych zup.

Obfite szare kombinezony z kapturami i wielkie
niekształtne rękawice nadają śmieciarzom wygląd mni-
chów średniowiecznych. Impregnowany materiał, z którego są uszyte, łamie się jak papier mâché, kubizując ich
kształty.

Puste srebrzyste kubły dudnią po kamiennych płytach
podwórka, kiedy śmieciarze doprowadzają je na miejsce,
kręcąc nimi tym samym ruchem, jakim Ziemia biega dookoła Słońca, obracając się jednocześnie wokół własnej
osi.

Mężczyzna, który opiera się o szoferkę, podczas gdy dwaj inni uklepują ze śmieci regularną piramidę, wierzchem dłoni, przegubem, na którym załamuje się mankiet rękawicy, ociera spocone czoło. Jego wąska twarz przypomina pysk rasowego charta albo raczej siodełko rowerowe. Nad brwiami rysują się dwie wypukłości, cienki nos płasko przylega do twarzy, zaginając się nad samymi ustami, z obwisłą dolną wargą nad długim, wąskim podbródkiem. Ciemny, niebieski zarost koresponduje z kolorem oczu podługowatych i połyskujących jak skórka od śledzia. Patrzy na Stróżkę, która podchodzi bliżej, nie czując już obezwładniającego smrodu.

– Czemu tak późno przyjechali? – powtarza pytanie, którego nikt przedtem nie dosłyszał.

– Bo umarł ten, co nie miał umrzeć – odpowiada zagadkowo jeden z nich, a dwaj inni, którzy skończyli już swoje czynności i przysiedli obok kupy śmieci, słuchają z uwagą, zdejmują kaptury i rękawice.

– Szef ma rację – mówi niższy i odkrawa scyzorykiem kawałek suchej kiełbasy.

– Ale kto? – dopytuje się Stróżka, oddychając z ulgą, że to nikt z rodziny, a tak już się martwiła.

– Umarł nieśmiertelny – mówi Szef.

– Tak jest, jak mówi Szef – obaj śmieciarze siedzący z kolanami pod brodą zaskrzeczeli głosami o barwie denaturatu.

Ten, który odkrawał kiełbasę, ukazał czarne zęby w uśmiechu, drugi bezwładnie zwiesił głowę i mówił coś, czego Stróżka nie zrozumiała. Znała ich od dawna i nigdy nie rozumiała, co mówi ten gruby; miał obcięty koniec języka, obcięli mu podobno w więzieniu, ale kto, kiedy i za co pozostawało tajemnicą. Tego nie wiedziała nawet Blokowa.

Szef był kimś lepszym, z przedwojennym wykształceniem, niektórzy mówili nawet, że to zdeklasowany hrabia, ale nikt nie znał jego nazwiska: hrabia, co psy ograbia, wołały za nim dzieci.

Kto znów nie miał umrzeć? – myśli Stróżka, ten Hrabia zawsze taki głupio mądry, nic nigdy nie powie wprost. Jego błyszczące oczy, patrzące gdzieś wysoko, ponad tym, co można dojrzeć gołym okiem, towarzyszą jej przy zamiataniu.

Ciężarówka ruszyła, ciągnąc za sobą śmierdzący oddech. Kobieta bierze miotłę i podmiata rozsypane resztki. Przez cały czas jednak czuje niepokój wiszący nad martwym podwórkiem, na którym oprócz niej nie ma nikogo, jakby wszyscy spali albo jeszcze gorzej.

Niebo znów pociemniało i oparło się na kamiennym murze domów; tworząc przytłaczający dach, pochyliło w wietrznym pokłonie nawet krnąbrne topole.

Nagle w ciszę podwórka wdarł się ostry, skowyczący szloch mężczyzny. Stróżka przeżegnała się. Spojrzała w górę, w otwarte okno, i w tym momencie usłyszała ciężką, żałobną muzykę, tak jakby jej spojrzenie uruchomiło organy. Wybiegła na ulicę, ale tam też nie było żywej duszy, więc wróciła znów na podwórko.

Niebo zagadało nagle głosami zwielokrotnionymi przez studnię z murów. Przerażona Stróżka zmieniła się w swój własny pomnik, z miotłą w zaciśniętych lodowatych pięściach, z uniesioną w górę głową, pomnik zdziwienia i napiętego strachu, najlepiej oddanego w przerażonych oczach i szeroko otwartych ustach.

Ze wszystkich głośników płynął pełen autentycznego bólu, miękki głos: „wczoraj wieczorem o godzinie", mówił spiker, recytując najprawdziwszy z prawdziwych tren, „wczoraj wieczorem o godzinie", powtarzał po chwili... „przestało bić serce".

– Nie – zawołała Stróżka, wpadając do pustej spółdzielni – czy to możliwe, panie Kaczmarek, niech pan powie, czy to możliwe?

– Wydawałoby się, że to niemożliwe, ale... – Kaczmaruszek był bardziej czerwony niż zwykle. Jego nabiegłe krwią czoło pokryte było drobnymi kropelkami lecącymi w dół po skroniach, aż dziwne, że to nie kropelki krwi, a jedynie przeźroczyste, gęste jak formalina krople potu.

Stróżka bezładnie opowiadała wszystko, co jej się przytrafiło, począwszy od zdechłego gołębia.

– Panie Kaczmarek, ażem się przelękła, jak usłyszałam ten płacz, pan wie, kto płakał...

– Kto miał płakać, ten płakał.

Wyciągnął spod lady butelkę z czerwoną kartką i szklankę po musztardzie. Gulgotało przez jakiś czas i szklanka zrobiła się bardziej przeźroczysta, niż była.

– Pij, sąsiadka – powiedział – na nerwy.

– Co pan, tyle – zaprotestowała, ale wypiła duszkiem połowę, krzywiąc się po odstawieniu szklaneczki i chrząkając.

Kaczmaruszek wypił resztę, i znów nalał prawie do pełna.

– Ale co pan – znów zaczęła Stróżka.

– Pij, pani, na zdrowie, strach od tego spadnie.

– I co teraz będzie? – spytała.

– Będzie, co ma być, albo tak samo, albo inaczej.

Kaczmaruszek schował butelkę i szklankę pod ladę; do spółdzielni weszła grupa poważnych, milczących dzieci. Stróżka zauważyła wśród nich swoją córkę, w pełnych lęku oczach dzieci rozmazywały się łzy.

Córka Stróżki miała zupełnie zapuchnięte i nabrzmiałe fioletowe powieki; opadały co chwila, spychając w kąciki oczu łzy, które natychmiast spływały po policzkach. Matka przytuliła ją do pstrokatego fartucha wyciętego na piersiach w kształt serca. Czuła, że dziewczynka drży.

– Nie płacz, Kazia, nie bój się, bo nie ma czego – powiedziała.

– Jak to długo trwa taka minuta ciszy. – Córka Stróżki zapłakała.

– Minutę trwa – powiedział Mareczek, ale bez zwykłej wesołości w głosie.

– Panie Kaczmarek, niech pan naważy dziesięć deka majowych, potem przyślę pieniądze przez Kazię.

Kaczmaruszek otworzył szklany słój i specjalną łopatką nabierał posklejane „majowe" cukierki. Były to nadziewane małe poduszki w opalizującym, zielonym kolorze. Poczęstowała wszystkie dzieci. Po kolei wybrzuszały się im policzki.

– Jednak majowe są najlepsze – powiedział Mareczek.

– No, ja lubię nadziewane. – Córka Stróżki odetchnęła głębiej i ostatnia łza już nie spadła. Zatrzymała potok, który wydawał się nieskończony.

– Spotkaliśmy księdza – odezwał się Głupi Młot.

– I co powiedział ksiądz? – Stróżka była bardzo ciekawa, tak że czekała na odpowiedź znów z niedomkniętymi ustami.

– Powiedział, że umarł jak każdy, że nieśmiertelny jest tylko Pan Bóg, a człowiek to człowiek.

- Oni myśleli, że on nie umrze.
- No, ale on się bał, podobno...
Mareczek rozejrzał się i umilkł.
- Powiedz, powiedz - poprosiła Szprycha, która stała z boku i przez cały czas płakała.
- To przestań ryczeć - powiedział Mareczek.
- Kiedy nie mogę, jak zacznę, to nie mogę przestać.
- To nie powiem.
- To powiedz. - Szprycha przełamała płacz jako ostatnia.
Wytarła oczy dużą białą chustką.
- Że też wczoraj nikt jeszcze nie wiedział... - zdziwiła się Stróżka. - A jest w gazecie?
- Nie można dostać gazet.
- Widziałem, wszystko jest, cała gazeta o tym.
- No a o czym ma być?
- Powiedz, Marek. - Dzieci skupiły się dookoła chłopca, który szybko przełknął resztę majowego cukierka.
- Codziennie w innej komnacie, codziennie - powiedział.
- Nie mów?
- No, od paru lat.
- Skąd wiesz?
- Od Pająka.
- To musi być prawda - powiedziała Szprycha.
- Jak twój narzeczony... - zaczął Mareczek, ale nie dokończył.
- A tam jest podobno trzysta sześćdziesiąt pięć pokoi, na każdy dzień roku jeden, no, chyba że rok przestępny, ale nikt nie wiedział, w którym będzie spał...
- Może myślał, że ktoś się zakradnie i go zabije.

- No, na historii było o carze, raz było, że cara zabili - powiedział Głupi Młot.

- Ty jednak jesteś Głupi Młot - zdenerwował się Mareczek - akurat masz porównanie: car i On.

- Na pewno, że się można dostać do każdego pałacu - bronił się Młot.

- Patrz pan, jak jednak ten nasz ksiądz się nie boi powiedzieć. - Stróżka była pełna podziwu.

- Czego ksiądz ma się bać? - spytał Kaczmaruszek.

- Jak jest u Pana Boga na służbie?

- Ale zawsze.

- Ani Blokowej, ani nikogo, jakby się pod ziemię zapadli - powiedział Kaczmaruszek.

Wychodzili ze sklepu, kiedy zobaczyli Marycha jadącego środkiem jezdni na motorze. Za nim siedział Pająk, oplatając go długimi rękami w pasie. Kiedy mijali grupę dzieci, Pająk odwrócił się i pomachał ręką.

- Ale się staluje - powiedział Mareczek.

Szprycha zaczerwieniła się aż po jasne, spłowiałe włosy.

- Przestań - szepnęła i łzy znów napłynęły jej do oczu.

- U nas wszyscy ryczeli - powiedział Mareczek - nawet ja.

- Kostusia nie, ani jednej łezki nie puściła.

- U nas też, nikt nie wie czemu.

- Czemu, czemu, bo tak temu.

- Tylko Gangrena nie ryczał, śmiał się po cichu.

- Wiadomo, Gangrena.

- Wyleciał z klasy i stał za drzwiami, i głośno śpiewał „Sulikę”.

- Wiadomo, Gangrena, wywalą go ze szkoły.
- Pójdzie tam, skąd przyszedł.
- Gangrena się niczego nie boi.
- A czego ma się bać, jak nie ma ojca ani matki, ani nikogo.
- No, nie ma nic do stracenia.
- Nawet dyra się nie boi.
- Dyro sam się bał, jak przyszedł do nas powiedzieć, to był aż zielony, nikt się tego nie spodziewał, że on umrze, dyro też nie.
- A na co umarł?
- Nie wiadomo, tego nie mówili.
- Mówili: „przestało bić serce".
- To każdemu przestaje.
- Przyjdziecie na podwórko?
- Ja przyjdę.
- Ja też - powiedziała Szprycha.
- Ja też.
Szprycha cofnęła się, idąc w stronę bramy wjazdowej. Stał tam Pająk. Przywitali się, milczeli chwilę i Szprycha spytała z lękiem:
- Czy teraz może być wojna?
- Nie - odpowiedział Pająk - chyba nie.
- A co może być?
- To się okaże, na razie nikt nic nie wie. - W zamyśleniu dodał: - Najgorzej ma ojciec Elżuchy, dla niego to jest dopiero...
- U nas wszyscy płakali - powiedziała znów Szprycha.
- Dzieci zawsze płaczą, jak się boją.
- A ty nie płakałeś?

- Ja? Czemu miałem płakać? Mój ojciec umarł, to nawet nie wiedziałem, bo byłem za mały, żeby rozumieć, a teraz mam płakać? Zastanów się, czego?

- Nie wiem, jak wszyscy.

- Wszyscy płaczą, bo wszyscy płaczą, a nikt nie wie czemu.

- No bo ten przez radio mówił takim strasznym głosem i była taka ponura muzyka.

Pająk oczami wskazał idącą kobietę. Ostrożnie stawiała nogi, trzymając się linii płyt chodnika. Posiwiałe kosmyki wśród czarnych włosów podkreślały jeszcze wrażenie ogólnego nieładu. Granatowa spódnica w zaprasowane kiedyś fałdy nie do końca skrywała opadające pończochy. Przydeptane buty wlokły się, szurając po chodniku, gdy stopa unosiła co pewien czas piętę. Trzymanie się wyznaczonej trasy nie było dla niej łatwe, odchylała się kołyszącym tłustym ciałem raz w prawo, raz w lewo, starając się, aby przynajmniej stopy pozostawały na biegnących strzeliście przed siebie płytach chodnika. Sprawiało to jej jednak trudność nie do pokonania i co pewien czas zataczała się.

- Zobacz Głupią Bachę, jak sobie dała już od rana, pewno z rozpaczy.

Mijając ich, kobieta nasmarkała na krawężnik zamaszystym, chłopskim ruchem dwóch palców, kciuka i wskazującego, odrywając ciągnącą się zielonkawą wydzielinę od nosa.

- Nie ma nic gorszego niż pijana baba - powiedział Pająk, krzywiąc się z obrzydzeniem.

Szprycha odwróciła się tyłem do żebraczki i rękami zasłoniła uszy, żeby nie słyszeć charkania.

- Ciekawe, czy Głupia Bacha sobie zdaje sprawę z tego, co się stało? - zapytała, kiedy kobieta zniknęła.

- Coś ty, ona wie, co zje, nic więcej. - Pająk patrzył na Szprychę, tłumiąc śmiech. - Nie możesz się tak wszystkiego bać, dużo takich chodzi po świecie, wszędzie pełno.

- Och, przestań, uwziąłeś się na mnie, po tym wszystkim, co było w szkole, jeszcze teraz ona, mój brat w wojsku, już widzę, jak matka się trzęsie, miał przyjechać na Wielkanoc, ciekawe, czy teraz dadzą mu przepustkę.

- Pewnie, że dadzą, co to ma jedno z drugim wspólnego.

- Ty tylko tak mówisz, bo chcesz mnie pocieszyć.

- Wszystko będzie szło normalnie dalej, cały ten interes.

- A może on wcale nie umarł?

- A co?

- Może jest w letargu, to się czasem zdarza.

- Już ty się o to nie martw, miał swoich doktorów, w letargu to w twoich wymyślonych książkach.

- Jak rano szłam do szkoły, od razu wiedziałam, że coś się stanie, bo jak spotykam tego bez nosa, wiesz, tego, co mu koń nos wygryzł...

- Taa, akurat koń nie miał nic innego do roboty.

- Matka mi powiedziała, że koń mu wygryzł.

- A co ci miała powiedzieć, jak byłaś mała?

- A co?

- Koń, akurat koń; miał syfa i go nie leczył.

- Co?

- No miał syfa, to taka choroba, to mają prostytutki i zarażają mężczyzn.

- I co?

– I co? I nic. Jak się leczy, to można wyleczyć, a jak nie, to ciało zaczyna gnić i odpada.

– Łuch – zatrzęsła się Szprycha – to obrzydliwe.

– Ty to jesteś mądra, zawsze się brzydzisz i mówisz: „nie mów", jak już się wszystkiego dowiesz.

– A pamiętasz to zdjęcie – Szprycha wróciła do tematu – jak On w białym mundurze podnosi w górę taką małą dziewczynkę z blond włosami? Jak byłam mała, to byłam do niej zupełnie podobna i moja babcia wycięła to zdjęcie z gazety, i powiesiła na ścianie, i jak ktoś do niej przychodził, to mówiła: „Widzicie, kto moją wnuczkę podnosi?", bo On podobno strasznie lubił dzieci i wszystko tam robili dla dzieci, dla tych pionierów, w pałacach się bawili, w prawdziwych, bo on chciał, żeby dzieci miały dobrze... Jak mój ojciec coś na Niego mówił, to ja zawsze o tym, jak On podchodził do dzieci.

– Taa, ty się nie znasz na polityce, dzieci i ryby nie mają głosu.

– Ojciec słuchał Londynu...

– Ty nie opowiadaj wszystkim, co twój ojciec, dobra?

– Przecież ja nikomu nie mówię, tobie nie można powiedzieć?

– Mnie to co innego.

– A co myślisz, że ja jestem głupia?

– Taa. Przyjdziesz dziś po obiedzie?

– Jak gdzieś idziemy, to nas zawsze ktoś widzi.

– Niech sobie widzi.

– Ale wiesz.

– No wiem. To będę czekał za rogiem.

– Nie wiem, czy mnie puszczą, może będą się bali.

Rozstali się w bramie. Pająk poszedł na górę do swojego domu, a Szprycha wróciła przez podwórko. Na samym środku stała Stróżka z Blokową. Blokowa miała na twarzy wyraz oficjalnego smutku, taki sam jak wtedy, kiedy umarła Człowieku. Szprycha, kłaniając się, popatrzyła na nią ciekawie. Blokowa odkłoniła się poważnie, bez cienia uprzejmości.

– Nie mogłam uwierzyć, jak usłyszałam – mówiła Stróżka, pochyliła się w stronę Blokowej, szepcząc jej coś do ucha.

Niebo się rozjaśniło i pofałdowało, choć słońca nie było widać, to jednak pojedyncze promienie malowały na nim jaśniejsze pasma, jak siwizna na głowie żebraczki rozświetlająca czerń jej włosów.

Na zbolałej twarzy Blokowej błysnęła ciekawość nie do opanowania.

– Co pani też mówi, aż tak? – spytała z niedowierzaniem.

– No, ale to tylko dla pani.

– Ale to się rozumie, przecież wszyscy wiedzą, że u mnie... – Blokowa jednak nie powiedziała: jak w studni, lecz uniosła oczy w górę i nałożyła na swą twarz rękawiczkę smutku.

– Mój syn w wojsku – powiedziała Stróżka. – Tak się martwię, co to może teraz nastąpić.

– Może być różnie, idę, bo trzeba Kasińce dać obiad, my możemy rozpaczać, a świat i tak toczy się naprzód, starzy umierają, a młodzi chcą jeść, tak już było, jest i będzie.

Stróżka popatrzyła na nią z podziwem, jak też ta Blokowa umie powiedzieć, świat toczy się naprzód, tak, to prawda, i znów jakieś śmieci ktoś wyrzucił z góry, komuś nie chciało się zejść na dół, wszystkie łupiny od ziemniaków i liście kapusty, jakby tak sprawdzić teraz, co kto gotuje, to naprawdę można by karę jakąś dać, bo czy to jest rzecz, żeby z góry wyrzucać śmieci, i to w taki dzień, naprawdę, że ludzie sobie nic z niczego nie robią.

Ze wszystkich otwartych okien znów rozbrzmiewała muzyka żałobna. Jak też pięknie grają, myślała Stróżka, jak w kościele organy, jak czasem hukną, to aż się podskoczy, jak człowiek znużony modlitwą się zdrzemnie. Ale te grają równo, przyciskają niebo nad podwórkiem, jakby szły z góry, pomrukują groźnie tym niewiadomym, co może nastąpi, i sprawiają, że Stróżka stojąca ze swoją miotłą pośrodku podwórka jest taka mała jak porcelanowa figurka w jej pokoju na czarnym blacie kredensu, figurka pasterki, trzymająca na wyciągniętej dłoni miniaturowego ptaka.

* * *

– Podobno mają postawić garaż?

– Kto?

– Ten redaktor z góry.

– Ostatni się wprowadził, a rządzi się jak szara gęś.

– Trzeba napisać protest.

– Akurat ktoś napisze.

– My napiszemy, a wszyscy lokatorzy się podpiszą

– powiedział Pająk.

– Ciekawe, kto się podpisze.

– Ciekawe, kto się nie podpisze.

– I tak postawią, i tak.

– No, już nawet zwieźli materiał.

– Ciekawe, że nikogo nie pytali.

– Co ich to obchodzi.

– Wielki redaktor, w tenisówkach, a jaki ważny.

– Napiszemy, ja podyktuję, którego dzisiaj?

- 13 maja 1953 roku.

- „Do Miejskiej Rady Narodowej (w miejscu). Lokatorzy domów numer siedem, siedem A i osiem nie wyrażają zgody na ustawienie garażu na podwórku należącym do tych kamienic" - dyktował Pająk.

- Nie, tak nie może być - powiedziała Szprycha. - Zgodę może wyrazić urząd, a nie lokatorzy.

- Ciekawy pogląd - zezłościł się Pająk - a ten urząd to co, skąd się wziął i dla kogo jest, jak nie dla lokatorów?

- Jak chcesz, ale tak ci nikt nie podpisze.

- No to jeszcze raz, apiać od nowa: „Uprzejmie prosimy o rozpatrzenie sprawy garażu mającego stanąć na podwórku należącym do kamienic siedem, siedem A i osiem, o którym lokatorzy domów dowiedzieli się dopiero od robotników przywożących materiał na budowę".

- O którego budowie dowiedzieli się lokatorzy od robotników przywożących materiał - poprawiła Szprycha.

- Ale z was adwokaci. - Mareczek śmiał się. - Jeżeli sprawa nie zostanie załatwiona pozytywnie, to zwrócimy się do Księdza Proboszcza.

- Przestań się wygłupiać, bobym to napisała.

- „Zbudowanie wyżej wymienionego garażu jest niemożliwe ze względu na..." - Pająk zastanawiał się. - Jak by to najlepiej ująć...

- Ze względu na uniemożliwienie zabawy w policjantów i złodziei - powiedział znów Mareczek.

- Nie, no z wami to nic nie można zrobić.

- A dlaczego on nie ma postawić tego garażu?

- A jakby każdy, kto tu mieszka, sobie postawił, to co?

- Ale każdy nie ma samochodu.

- To jeszcze gorzej - powiedział Pająk. - Już wiem, jak dalej, „ze względu na konieczność wykorzystania przestrzeni podwórka do wieszania bielizny, do zabaw dzieci, do trzepania dywanów", do czego jeszcze?

- Do plotkowania - dodał szybko Mareczek.

- Do palanta.

- „Do uprawiania sportów przez dzieci" - ciągnął Pająk.

- Za dużo o dzieciach, od razu będą wiedzieli, kto to napisał.

- Jak będziemy chodzili do podpisu, to najpierw do tych, co na pewno podpiszą, do tych, co się nie boją, a potem dopiero do tych ostrożnych - powiedział Pająk.

* * *

- Inżynier wrócił. - Blokowa stanęła pośrodku grupy kobiet zastanawiających się nad dzisiejszym obiadem.

- Niemożliwe - matka Marycha rozpięła jeszcze jeden guzik bluzki, ukazując ostroróżowy biustonosz - niech pani nie mówi.

- Sama widziałam.

- Dzisiaj?

- Nie, wczoraj po południu, wcale go nie poznałam, dopiero, jak przeszedł, to sobie mówię, skąd go znam? No i sobie przypomniałam, ale taki zmieniony, inny człowiek, dwa razy chudszy. - Tu Blokowa wciągnęła mięso swoich obfitych policzków między zęby, chcąc pokazać, jak wychudł Inżynier, ale jej twarz mimo to pozostała tłusta. - No skóra i kości, widać słabo karmią w tej Czechosłowacji. - Zaśmiała się ze zgrzytliwą ironią. - Nie byłam nawet pewna do końca, że to on, więc wzięłam taki formularz, co lokatorzy mają wypełniać, ile osób,

213

kto na czyim utrzymaniu, no taki dla Urzędu, i poszłam go zanieść, i był w domu...

– Że też pani musi ludziom zawracać głowę, jak się tyle czasu nie widzieli, ja bym tak nie mogła, za nic bym nie poszła – powiedziała matka Marycha.

– Musiałam zobaczyć, czy to był on, tak mnie to męczyło – tłumaczyła się Blokowa.

– I co? – zapytała matka Miry.

– Zobaczyłam tylko, jak leżał na kanapie, zajrzałam przez uchylone drzwi, miał na sobie podkoszulek i było widać gołe ręce, jak kościotrup, no naprawdę, aż żal patrzeć, twarz zielona, ziemista...

– Widać nie było pogody.

– Co też można z człowieka zrobić przez trzy lata.

– Nie z niego jednego.

– Inżynierowa od wczoraj się nie ruszyła z domu, nawet po mleko nie była, a dziewuszki też nie siedzą w oknie.

– No a co, ojciec w domu, to święto.

– Ciekawe, czy go przyjmą z powrotem do pracy.

– Pewnie, że tak.

– Chyba że chory jest.

– Może być chory.

– Ten, co w zeszłym tygodniu wrócił, spod dwójki, z naprzeciwka, to chory jest, ani pracować, ani jeść, nic, wątroba i nerki załatwione.

– Może będzie teraz trochę lżej.

– Czas by było.

Kobiety przestają mówić, temat obiadu już nie wraca. Ale nie zabierają się do domów. Stoją w milczeniu, czekając na słowa, które powinny paść. Jednak żadna się nie odzywa, Stróżka otwiera nawet usta: patrzy na twarz Blokowej i nie mówi nic.

- Pani chciała coś powiedzieć - Blokowa zwraca się do niej, bo zauważyła ruch warg, nic jej nie ujdzie.

- Co ja mogę powiedzieć? - broni się. - Czy ja co wiem?

- Pani powinna wszystko wiedzieć, to pani jest Blokową - mówi zaczepnie matka Miry. - Zawsze pani wszystko wie, ale jak co do czego przyjdzie, to tylko z ludzi pani umie wyciągać, taka jest prawda.

- No wie pani, jak pani może tak mówić? - Blokowa zabiera się do odejścia. - Że też pani nie wstyd.

- To pani ma być wstyd, mój Marych stale mówi, że pani wstydu nie ma za grosz - mówi matka Marycha.

- Marych niech lepiej siedzi cicho, bo o nim już wiedzą, gdzie trzeba, niech za dużo nie mówi...

- Będzie mnie tu straszyć, ta... - Matka Marycha szuka określenia, ale trudno jej znaleźć odpowiednie, więc atakuje z innej, najbardziej bolesnej strony, na podwórku wie nie tylko Blokowa, wiedzą również o Blokowej. - A co pani robiła za Niemca, czy też wiedzą tam, gdzie mają wiedzieć, a Bacha? Co dzień z innym pod bramę przychodzi, a potem do bramy, nie wie pani, co tam się dzieje? Sama raz na nią weszłam, bo tak ciemno, bez światła, na stojąco, ten żołnierz taki młodziutki, uciekał gdzie pieprz rośnie, tylko pas odpiął i robił swoją robotę.

- A co ja widziałam, lepiej nie mówić. - Stróżka poczerwieniała. - Jak czasem zejdę wieczorem do piwnicy sprawdzić światło, to się człowiek może dużo nauczyć.

- Niech sobie robi to, co robi, ale niech jej matka się nie wtrąca w cudze sprawy.

- Nie wiedziałam, że to tak, nie wiedziałam, że taka niesprawiedliwość...

Blokowa wyciąga chustkę i ociera suche oczy, opuszcza powieki, żeby ukryć błyszczącą w oczach zemstę. Odchodzi kawałek, zawraca jednak i mówi do Stróżki:

– Po wszystkich bym się spodziewała, ale po pani, nigdy, tyle co ja wiem o pani, nie, nigdy. – I dopiero teraz odchodzi naprawdę, niosąc swoją wyniosłą, obrażoną tuszę.

– A niech idzie do samego diabła – mówi rozgniewana matka Marycha – już dosyć tego, żeby się człowiek bał własnego cienia, ani nic powiedzieć, ani nic...

– Najgorzej, jak się człowiek tak boi.

– Poleję podwórko, bo ktoś śledziówkę rozlał i niemożliwie śmierdzi. – Stróżka oddala się od grupy.

– W taki gorąc to zawsze.

Kobiety żegnają się i po chwili podwórko jest już puste. Nie ma na nim dzieci, mimo że rozpoczęły się wakacje.

Stróżka wyciąga długi, czarny wąż, poklejony czarnym plastrem, Eda go skleił, jak był ostatni raz, ale gorąc nie do wytrzymania, Eda ma dzisiaj wieczorem przyjść, żonę wysłał do matki, to pewno pójdzie na jednego, a potem przyjdzie, żeby tylko się cicho zachowywał, bo Kazia już duża, czasem tak popatrzy, jakby wiedziała więcej niż to możliwe, no ale co zrobić, samej kobiecie ciężko, u wdowy chleb gotowy, tak mówią i tak też jest, która sama by wytrzymała, może jeszcze wyjdzie za mąż, to się zobaczy...

Polewa podwórko i myśli jej kołują nad nim, żal trawnika, który był jeszcze dwa lata temu, jeszcze rok temu nawet, tak, rok, dopiero w pięćdziesiątym trzecim pod zimę postawili garaż, a do połowy, tam gdzie był trawnik, zabetonowane, o krzakach wcale nie ma mowy, co prawda dzieciaki nie latają po podwórku, bo nie ma gdzie, jeden garaż już stoi, a drugi się robi, jak to szpeci, topole mają za mało ziemi, wysychają im gałęzie, akacja na pół sucha, ptaki się wyniosły, kosy były, wrony, a co tu wróbli było, te wróble lubiła najbardziej, czyste są i takie wesołe, wciąż głowami kręcą, a te gołębie takie ślamazarne, łażą, tak jakby fruwać zapomniały, tylko one zostały na podwórku, a na tym betonie jeszcze więcej widać, jak srają, w ziemię to wsiąka i trawa dobrze rośnie, a na tym kamieniu obrzydliwie wygląda, takie też już jest wszystko zasrane, drugi garaż, komu to potrzebne na podwórku, dorobił się ten z góry, jak się wprowadził, to nic nie miał, zamiast butów tenisówki nosił, a teraz, jak tylko co, to wszędzie on, we wszystkich gazetach pisze, niech tam się dorabia, nikt mu nie zazdrości, ale żeby tak sobie garaż postawić, bez zgody lokatorów, nie, to więcej niż milicja pozwoli, jaka to była wygoda z tym trawnikiem i te parę krzaków, wszystkie dzieci w wózkach spały na słońcu, a teraz co, za garażem w tym smrodzie położyć, gdzie tam...

Wyczarowuje w swej pamięci niskie wózki, autka koszykowe, jedno dziecko po drugim się w nich chowało, Mały Gnój, to dopiero było, jak go Mira nie przypilnowała, śmieje się Stróżka na samo wspomnienie, śmiechem odbitym od tamtego, prawdziwego, chociaż to tyle lat temu było, nie, no nie może, cały się umazał błotem, och, jak wyleciała matka, zaczęła gonić Mirę, ale gdzie tam dzieciaka dogoni, a ten: cały wózek, rączki, buzię, kocyk, wszystko; jedne po drugich się tu chowały, za to teraz, jak się samochód zepsuje, to silnik naprawiają, śmierdzi i hałasuje gorzej i nikt nie wyleci, i mu nie powie, bo każdy się boi, bo to wielki pan redaktor, prawda, że żywopłotu z krzaków nie trzeba podcinać, ale co, raz się podcięło, a jak ładnie, jak inaczej, dzieciaki na kocu, co to za wygoda była i matki z okna patrzały, i wszystko miały na oku, a teraz kto to wie, co się dzieje, po piwnicach albo po bramach, po ulicach chodzą, a samochodów coraz więcej, o wypadek nietrudno, kiedyś można się było pod konia dostać, a teraz pod samochód, nie ma co zbierać, akacja już niedługo uschnie, bo ma za mało powietrza od spodu, jak ten beton wszystko zalał, nie mogą korzenie oddychać, jedno, co dobre, to to, że dzieciaki się uczą, to jeszcze dobre, będą miały lżej, czytać umieją i pisać łatwo, to nikt nie oszuka, do szkoły jedno za drugim jak po sznurku, jedną kończą i do drugiej, mądre te dzieci teraz, choćby taka Szprycha, Kazi w lekcjach przyjdzie pomóc, ile ta dziewucha przeczytała, to wierzyć się nie chce, będą mieli rodzice pociechę, należy im się, bo zgryzoty dosyć mają przez tę Donię, z tą piwnicą, ile to już było komisji, coraz ważniejsze, niedługo pewno jakiś minister przyjedzie to obejrzeć, że też nikt nie widzi, że ta baba ma nie w porządku z głową, dzieciaki to widzą, a te komisje z taką powagą chodzą, oglądają, przychodzą potem i wypytują, a co kto ma, a kto do kogo przychodzi, naprawdę, ma rację matka Marycha, człowiek się boi własnego cienia, to już jest niemożliwe i jak co, to zaraz do Stróżki, Stróżka powinna wszystko wiedzieć, pewnie, że się wie, ale przecież nie po to, żeby zaraz o tym opowiadać, Blokowa to zbiera wszystkie plotki z całego podwórka, ale nie każdy jest zaraz taki, nieprzyjemnie jest, jak przyjdą i tak patrzą ostro, a jak się nie chce powiedzieć, to ten jeden, co siedzi zawsze w środku, mówi, to dziwne, że pani nie wie, do nas już doszło, a pani nie wie, może się pani nie nadaje na stróżkę, i co zrobić, przecież jakby jej mieszkanie zabrali i posadę stróżki, to co by zrobiła, gdzie by z dziećmi poszła, chociaż Marych mówił, że nie ma co się bać, bo nic jej nie mogą zrobić, nikogo nie wolno na bruk wyrzucić, bo socjalizm to podobno ma być co innego niż przed wojną, wszystko wytłumaczył, oni tylko tak straszą, o Marycha też wypytywali, z kim się zadaje, czy ktoś do niego przychodzi, ale o Marychu słowa nigdy nie powiedziała, taka głupia nie jest, wie, co można, a czego nie, lepiej nic nie wiedzieć, chociaż to też nic nie da, ten spod dwójki nic nie wiedział, a trzymali go prawie dwa lata, tak to już jest, ale bab nie biorą, do polityki to się lepiej nie mieszać, zawsze coś z tego wyjdzie, ale co zrobić, tak dalej być nie może, ludzie szumią i mają rację, zawsze mają rację, to się dopiero potem okazuje, jak już krew się poleje, bez tego ani rusz, to zawsze Człowiekowi mówiła, nie ma mowy, żeby się między sobą dogadali ci z góry i ci z dołu, zawsze musi polać się krew. U Stalina podobno szumią, Boże zmiłuj się, trzeba na tę intencję świeczkę zapalić i dać na ofiarę, bo może być ciężko, źle, teraz jak co do czego przyjdzie, to już na śmierć i życie, no bo co, żeby mieć choć trochę leżących pieniędzy, toby się kupiło zapas kaszy, mąki i cukru, Boże zmiłuj się. Blokowa i ci, co mieszkają na piętrach, to mogą pokoje wynająć na Targi, ale suterenę, to gdzie, kto by tam chciał mieszkać, każdy nakicha na takie mieszkanie, Blokowa miała u siebie raz prawdziwego Murzyna, eleganckim samochodem jeździł, teraz też już ma gości, w dwóch pokojach, a oni wszyscy mieszkają w kuchni, jeden na drugim, ona, mąż, Kaśińka, Bacha i ta nienormalna, co nigdy nie wychodzi z domu, była w Zakładzie, ale ją do domu przysłali, bo nie ma miejsc, też ma krzyż pański ta Blokowa, ale taka niegodziwa kobieta, może ją Bóg pokarał, takie dziecko mieć, nie życzę wrogowi, co to za umęczenie, jak się tam do niej wejdzie, to czasem widać tę dziewczynkę, stale wygląda jak dziewczynka, a musi już mieć przeszło dwadzieścia lat, wiecznie uśmiechnięta, nie wie, co dookoła niej się dzieje, stale papierki drze, zawsze jak się przyjdzie, to siedzi, przykłada jeden papierek do drugiego, jakby składała podarty list, jak to też się ludziom nie po kolei ustawi, dziękować Bogu, że dał dzieci zdrowe i proste, może nie takie zdolne do nauki, ale robotne, czego więcej chcieć, nie wszyscy są do czegoś lepszego, aby dalej, aby dalej...

* * *

– Do naszej klasy przyszedł nowy, Repatryjant.
– Skąd?
– Z Francji.
– Z Francji? Pierwsze słyszę, żeby z Francji.
– No, z Francji, fajnie ubrany, w taką wojskową wiatrówkę i koszulę w kratę.
– Dlaczego z Francji?
– No bo jego rodzice są Polakami i tam się znaleźli w czasie wojny, opowiadał dzisiaj na polskim, on bardzo śmiesznie mówi po polsku, nie tak jak ten Repatryjant z Rosji, co na niego mówimy Śpiewak Nieznany, tylko zupełnie inaczej, takie er wymawia, tak grucha...
– Ta wasza klasa to sama zbieranina, Rusek, Francuz, Cygan, ten Cygan to też dobre ziółko – powiedziała Córka Stróżki.
– Wcale go nie znasz, więc nie mów – oburzyła się Szprycha.
– Ale słyszałam, że przyszedł z domu poprawczego.
– Wcale nie z poprawczego, tylko z domu dziecka.

- Zawsze Cygan, to wiadomo, na pewno kradnie.
- Ukradł ci co? Jak nie, to nie gadaj, bo masz grzech, żeby tak zaraz oczerniać, jak nie wiesz, a właśnie, że go wszyscy lubią, a w naszej klasie jest złodziejka, ta Bożena, co pierścionek ukradła, jak u Zdzichy była, i córka doktora...
- A tam, akurat doktora, wcale nie, bo jej ojciec dawno z matką się rozwiódł i wcale do dzieci nie przychodzi, jej matka mówiła, że ona ma taką manię, że wszystko jej się do rąk przykleja, kleptomanka.
- Mania, co za mania, ukradła pierścionek i koniec, co tam w bawełnę owijać.
- A ten z tej Francji, jak wygląda?
- Może przyjdzie na podwórko, bo mówiłam, że jak chce, to może przyjść, oni tu blisko mieszkają...
- Na nasze podwórko, po co? Niech chodzi na swoje, też tam ma.
- O Jezu, ty naprawdę jesteś niemożliwa, dlaczego nie może przyjść?
- Niech się bawi na swoim.
- Ale on przyjechał z daleka i jest obcy, i wszyscy mówią, że trzeba mu pomóc... - Szprycha była oburzona.
- A jak wygląda?
- Wysoki, czarny, opalony na twarzy, ma czarne oczy.
- O, w oczy mu zaglądałaś?
- Jak nie, to nie, to ci nic nie powiem, idź sobie sama go obejrzyj.
- Jak on mówi takie er, to już będzie mówił, Śpiewak Nieznany, jak śpiewał, tak śpiewa, tak rozciąga każde

słowo, że jak opowiada czytankę, to Kostusia mówi: szybciej, bo zaśniemy, a on nie może szybciej.

– O Jezu, to co z tego, jedni mówią szybko, a inni wolno i co to takiego, wcale to nie zależy od tego, kto skąd przyjechał.

– Zależy, zależy, bo tam u nich się tak mówi.

– A ty jak masz opowiadać czytankę, to też się tak namyślasz, jak nie wiem co.

– Zakochałaś się chyba w tych Repatryjantach, bo ich tak bronisz.

– Lepiej w Repatryjantach, niż tak jak ty latać za chłopakami z siódmej klasy, a oni nawet na ciebie nie spojrzą – odcięła się Szprycha.

– Ja latam? Ja? Kto lata? Ciekawe?

– Pewnie, że tak, sama widziałam, na boisku, zawsze przy bramce jak broni Kwadrat, zawsze tam jesteś i się gapisz.

– Ale go nie zapraszam na podwórko.

– Boby wcale nie przyszedł.

– Ojeju, jaka mądra, skąd wiesz, że by nie przyszedł, myślisz, że tylko ty jesteś taka śliczna, że wszyscy na ciebie patrzą, ciekawe, chuda jak szprycha, ciekawe, a Pająk, jak poszedł do technikum, to wcale cię nie widzi, przechodzi, jakby cię nie było, myślisz, że nie widziałam, ma teraz inne, starsze i grubsze od ciebie.

– Nie musisz mi opowiadać, sama widziałam. – Szprycha połknęła łzę. – Nie wiedziałam, że jesteś taka świnia, jeszcze przyjdziesz, żeby ci pomóc w lekcjach, jeszcze będziesz prosić.

– No bo pewnie, po co się zaczynasz – powiedziała Córka Stróżki pojednawczo.

***

- A co będzie, jak Słonina się kapnie? - zastanowiła się Szprycha.
- Jak może się kapnąć, jak wy macie z Kostusią? - przytomnie zauważył Głupi Młot. - To najwyżej powiem, że mi brat pomógł, no, podyktuj - Głupi Młot prosił Szprychę, czekając z kartką wydartą z zeszytu, położoną na szerokim parapecie, na półpiętrze klatki schodowej pod siódemką.

- Pisz na środku linijki tytuł, dużymi literami w cudzysłowie: przed choinką noworoczną, a w nawiasie: opis sytuacji, kropka, pod spodem od dużej litery: plan, pierwsze rzymskie, wstęp, drugie, z dużej litery, rozwinięcie tematu, na środku podpunkt pierwszy arabski, wygląd sali, podpunkt drugi, na scenie, od początku linijki trzeci rzymski, zakończenie dużą literą, opuść linijkę i pisz: z okazji Nowego Roku nasza szkoła zgromadziła swe dzieci i rodziców na choince noworocznej, to ma być w cudzysłowie, w sali Domu Tramwajarza, też cudzysłów, dużymi literami, bo to jest nazwa, dnia ósmego stycznia tysiąc dziewięćset pięćdziesiątego szóstego roku, opuść linijkę i pisz dalej, z dużej litery, sala była udekorowana kolorowymi bibułkami, otwarte, ośle, i krepą, kropka, z dużej litery, na ścianach wisiały portrety przodowników pracy oraz piękne kolorowe lampiony, i krótkie, a nie jot, oświetlające salę, zrób zresztą trochę błędów, bo inaczej ona zaraz pozna, kropka, z dużej litery, od sufitu zwisały kolorowe paski krepy, pod ścianami stały krzesła, na których siedziały dzieci i rodzice, kropka, środek sali był wolny, kropka, przy scenie stały dzieci, przecinek, które nie miały miejsca siedzącego, kropka, w prawym rogu sali stała choinka, kropka, od nowej linijki, bo to jest do podpunktu dwa arabskie.

Scena była na podwyższeniu, od widowni oddzielała ją kurtyna, kropka, za zasłoniętą sceną zgromadziły się dzieci występujące oraz chór, kropka, w rogu sceny stała druga choinka, kropka, obie choinki były pięknie ubrane, kropka, wisiały na nich gołąbki, przez ą, przecież słyszysz, go-łąb-ki, oraz piątki wyrażające plan pięcioletni, kropka, całe choinki były opasane łańcuchem, kropka, główna ściana była przybrana niebieskim papierem, kropka, na ścianie wisiał portret Bolesława Bieruta, przecinek, oraz napis mówiący o planie pięcioletnim, przecinek, w rogu sceny stał fortepian, opuść linijkę, bo to zakończenie i z dużej, uroczystość rozpoczęcia Nowego Roku, w cudzysłowie, bardzo mi się podobała, ponieważ sala była pięknie udekorowana i bawiliśmy się wesoło, kropka.

Gdzie drwa rąbią, tam wióry lecą

Zmęczone upałem minuty czerwcowego poranka umierały z gorąca, odchodząc w czas przeszły bez nadziei na deszcz. Na podwórku nie było nikogo, kto by je porachował, spoglądając od czasu do czasu na zegarek. Słabe tykanie dochodziło jedynie z trzech pudełek po zapałkach, w których poruszały się chrabąszcze.

Mały Gnój skończył właśnie robienie gwoździem dziur w dachu ostatniego pudełka.

Słońce pociło się przez chwilę pod futrem pierzastych obłoków, zaraz jednak porzuciło je niedbale pośrodku nieba.

Mały Gnój wyciągnął z kieszeni lusterko. Przyjrzał się zdjęciu na odwrocie, na którym kobieta o porcelanowo wygładzonej twarzy i czarnych oczach rozchylała usta w martwym uśmiechu.

Lustrzaną stronę ustawił do słońca, żeby nałapać promieni. Puszczał koła blasku w okna kamienicy z przeciwka, jeździł po szarym murze, ożywiając jego monotonną ścianę, kiedy z bramy wjazdowej wyjrzała jak co dzień Perła. Wlokła się ciężko, z ledwością niosąc swoje własne ciało na krótkich, krzywych nogach.

Zanim ukazał się Cholewkarz, Mały Gnój zdążył poświecić jej prosto w oczy, pełne ropiejącej wydzieliny. Nie robiło to na niej żadnego wrażenia: chyba jest ślepa, pomyślał.

Jej wyliniała sierść nie zachowała nawet wspomnienia dawnego zdrowego połysku. Widać było różowe prześwity skóry częściowo zamalowane na zielono.

– Perełka pójdzie w odstawkę – powiedział Cholewkarz, mijając Małego Gnoja. Pochylił się przy tym w jego kierunku i zasłonił usta ręką, jakby się bał, że pies może zrozumieć jego słowa.

– Da ją pan uśpić?

– Przestanie się męczyć.

Perła jak na zawołanie zaczęła sucho kaszleć i krztusić się, wydymając boki z obwisłej skóry.

– Linieje – zauważył Mały Gnój.

– Wszędzie pełno kłaków, po całym mieszkaniu roznosi.

– Ale żal panu będzie.

– Tak, to była mądra suka.

– A kupi pan nowego psa?

– Musowo, tak nisko się mieszka, to musi być pies.

Cholewkarz poszedł dalej, a Perła za nim, z trudem wdrapując się na schody. Mały Gnój pomógł jej, podnosząc dłońmi ciężko zwisający zad.

Stróżka wyciągnęła czarny gumowy wąż z ciasnego schowka, odkręciła wodę, kierując promieniste strugi na zmizerniałą akację.

Suche mimozowate liście, kocha lubi szanuje nie chce nie dba żartuje w myśli w mowie w sercu na ślubnym kobiercu, łapczywie wchłaniały przeźroczyste krople; na nic uschnie, deszczu wciąż nie ma, oddychać nie ma czym to biedne drzewo, dookoła wybetonowane, tylko patrzeć, jak uschnie.

Mały Gnój dokonywał przeglądu chrabąszczy. W jednym pudełku największy okaz leżał w bezruchu do góry brzuchem.

Udaje zdechłego, pomyślał chłopak, szturchając go gwoździem. Mimo to chrabąszcz nie poruszył się, ale kiedy Mały Gnój wysypał go z pudełka, wzbił się w niebo tak nagle, że nie było mowy, żeby go złapać.

Inżynierowa rozpinała między drzewami gruby sznur nawinięty na drewniany krzyż. Wchodziła na stołeczek i okręcała sznurem pnie drzew nad sękami.

– Dobrze, że pani polała! – zawołała do Stróżki. – Nie będzie się kurzyło, mam dużo białych sztuk!

– W taki gorąc raz dwa wyschnie! Patrz pani, ile śmieci, jeszcze dziś nie przyjechali.

Inżynierowa strzepywała zbędne krople z wyżętej bielizny i wspinając się na palce, wieszała na sznurze.

Nagle stanęła i w napięciu nasłuchiwała dalekich odgłosów burzy.

– Słyszy pani? – zawołała znów w stronę Stróżki.

Mały Gnój zmarszczył nos, włożył palec w dziurkę i wyskubywał przyschnięte kawałki. W zadumie kulał je między dwoma palcami, kciukiem i wskazującym, robiąc regularne kuleczki.

Odgłosy ucichły i bielizna leciutko kołysała się na sznurze. Nikły powiew wybrzuszył plecy białych koszul przypiętych za rękawy.

– Nie, to nie grzmoty, coś jakby śpiew na procesji – powiedziała cicho Stróżka, podchodząc bliżej Inżynierowej.

Z klatki schodowej wyleciał Pająk. Machał rękami i wrzeszczał w przestrzeń:

– IDĄ, IDĄ, zaraz tu będą!

Zatrzymał się przed drzwiami mieszkania Szprychy. Chwilę się wahał, ale zadzwonił. Otworzyła mu, a on pociągnął ją za rękę, wskazując gdzieś w niebo, gestykulując, krzycząc; głos mu się łamał, brakowało śliny, powiedz im, niech matka kupi kaszy albo czegoś...

– Nic nie wiedziałam, uczyłam się akurat do egzaminu do liceum, nic, kompletnie nic... – mówiła Szprycha.

– W imię Ojca i Syna – Stróżka popatrzyła na swoje ręce – niech pani patrzy, jak się trzęsą.

– Mąż mi nic nie powiedział, a musiał wiedzieć.

– Inżynierowa z przyzwyczajenia spojrzała w okno kuchni, gdzie tym razem nie było dziewczynek. – Jezus Maria, a dzieci wysłałam na wieś – powiedziała w stronę okna.

– To lepiej, lepiej, nie wiadomo co do czego przyjdzie, tam zawsze będzie co jeść.

– Może ma pani rację, w każdym razie lecę do spółdzielni, póki jeszcze otwarta.

I nagle na spokojnym dotąd, leniwym podwórku zaczął się ruch nagły jak w teatrze, kiedy skamieniałe po odsłonięciu kurtyny postacie ożywają w gorączkowej akcji.

Otwierały się okna, pojawiali się nowi ludzie, co chwila ktoś wychodził na balkon i wołał, jak majtek, który pierwszy zobaczył ziemię.

– IDĄ, JUŻ IDĄ.

– NASI IDĄ. – Matka Marycha swym potężnym głosem bez wysiłku przebiła wszystkich.

Studnię podwórka wypełnił zwarty śpiew wielu tysięcy głosów, za którym ciągnęło się echo następnych, jakby pierwsza linijka tekstu znanej wszystkim pieśni nie miała się nigdy skończyć.

– Musi być moc narodu – powiedziała Stróżka.

– Lecimy. – Pająk pociągnął Szprychę, odwrócił się jeszcze i kiwnął na Małego Gnoja.

- Poszukaj butelek, za śmietnikiem, po piwnicach, i wszystkie ustaw za pakamerką.
- Do czego?
- Nie myj ich - dodał Pająk.
- A pani nie idzie do spółdzielni? - spytała matka Miry Blokową.

- Ja mam już wszystko w domu - odpowiedziała z wyższością; była poważna, blada, ale jej rozlatane po wszystkich kątach oczy, żeby niczego nie uronić, żeby widzieć jak najwięcej, te jej oczy pełne były niepokoju, nie mogła sobie pozwolić na zwykłe odruchy, tak jak inne kobiety, musiała w tej nowej sytuacji pozostać Blokową.

Na balkon wyszedł także ojciec Eli. Miał na sobie mundur galowy połyskujący jaskrawymi blaszkami orderów. Obie piersi były nimi gęsto pokryte.

- Jego niezachwiana wierność zasadom nie pozwoliłaby nigdy na niedociągnięcia, których byliśmy świadkami. Gdyby żył...

- Ten niech się dziś lepiej nie pokazuje na ulicy - powiedziała Stróżka.

- Co tam, tu go wszyscy znają. - Matka Miry machnęła ręką i skierowała się w stronę bramy. - Muszę zobaczyć.

- Nie boi się pani? - spytała Blokowa.

- Jak kto ma czyste sumienie, to się nie boi.

Wszystkie kobiety opuściły podwórko, a ojciec Eli, stojąc na balkonie, spokojnie nabijał fajkę. Oparł się o mur i patrzył spod przymkniętych powiek na sinawe aromatyczne obłoki dymu rozpływającego się w letnim powietrzu.

Z wysokości balkonu dachy dwóch blaszanych garaży tworzyły wzniesienie, coś w rodzaju naprędce skleconej estrady, na której spódnice wirują w ludowym tańcu, albo śpiewa biało-granatowy chór; z wysokości balkonu, jak ze specjalnego podwyższenia, widać było wszystko: niedomknięte śmietniki, trzepak do ewolucji gimnastycznych, zwłoki szczura, otrutego skrytobójczo serem tylżyckim, koszule Inżyniera wydęte jak żagle podczas parady, a za płotem w tamtym ogrodzie bukiety kwiatów rosnące na klombach, już w gotowych wiązankach, które małe dziewczynki wręczą za chwilę dostojnikom.

Topole proste jak maszty czekają tylko, żeby zawiesić na nich wielometrowe wstęgi flag, rozległby się ich wzruszający łopot na wietrze, chociaż dzisiaj nie ma takiego wiatru, mogłyby smętnie opaść, a flaga jest po to, żeby łopotała; podwórko przygotowane do jakiejś ważnej akademii, coś się czuje w powietrzu, na akacji trzeba by zamontować głośnik, przez który rześki młodzieńczy głos by informował: idą teraz nasi wspaniali chłopcy, idą tak dziesiątkami, wznosząc transparenty i okrzyki, i słychać te okrzyki, niech żyje niech żyje niech żyje, ojcowie niosą na ramionach dzieci, kolorowe baloniki, chmara białych gołębi wypuszczona nagle, nie, nie są białe, te są jakieś nieruchawe, obsiadły balkon i czekają na coś do zjedzenia, ślamazarne i tłuste. Ojciec Eli tupnął, ale łaziły dalej, nie wzbiły się do lotu, musiał je dosłownie skopywać, żeby przefrunęły nad podwórkiem, nad trybuną honorową z blaszanych garaży, gdzie teraz siedzą wszyscy i klaszczą, zamarły ich dłonie w rozwarciu, mierząc odległość między jedną a drugą ręką przed klaśnięciem, jaka to odległość, jedni mierzą ją dłońmi ustawionymi pionowo, inni ukosem, jeszcze inni zupełnie poziomo, absolutna dowolność, każdy może klaskać, jak chce, odległość jest różna, u jednych to jest mniej więcej tyle, ile ten duży szczur leżący za śmietnikiem (odliczając oczywiście ogon), u innych znów nie więcej niż gołąb, a mimo to oklaski brzmią równo, układają się w rytm rzucanych okrzyków, niech ży-je, niech ży-je, niech ży-je, na każdą sylabę przypada klaśnięcie, dym z fajki przesłonił na moment wspaniałą wizję.

Co czuł co mógł czuć wtedy

teraz przytula do piersi małą dziewczynkę w stroju krakowskim

blondyneczkę typowe dziecko słowiańszczyzny

nieustraszony bez lęku wydaje rozkazy wizytuje najcięższe punkty frontu

a teraz przytula małą dziewczynkę

niech ży-je niech ży-je niech ży-je niech ży-je niech ży-je niech ży-je niech ży-je niech ży-je niech ży-je niech ży-je niech ży-je niech ży-je niech ży-je niech ży-je niech ży-je niech ży-je

Trudno tak stać samemu bez ostoi, bez oparcia pośród otaczającego zewsząd ubóstwa ideologicznego, które nie potrafi inaczej przewalczyć chwilowych zakłóceń, jak tylko przez podniesione pięści i wykrzywione twarze

jedno jest pewne nie doszłoby do tego gdyby żył

byłoby inaczej

oddala się znajoma pieśń

cichnie

nie, znów się wzmaga

czy wracają?

Pewnie dołączyli nowi z Komuny Paryskiej, prawie same baby, Zakłady Przemysłu Odzieżowego imienia Ko-

muny Paryskiej, zawsze szły w pochodzie, kwiaty rzucały
nie tak dawno, w maju, widział przecież
idą wiadomo gdzie na Kochanowskiego
tylko tam i tam będą żądać rozliczeń
należy im się
dużo błędów dużo zrobiono błędów to prawda
brak idei karierowiczostwo
zasłanianie się przepisami
niedostrzeganie człowieka
nadużywanie władzy
prywata
szantaże moralne
to wszystko prawda
ale
co on ma z tym wspólnego
przecież to nie on siedzi za biurkiem z dużą lampą nie
on przeprowadza rewizje.

Może i dobrze się dzieje, może to odpowiedni moment historyczny, żeby oczyścić szeregi z zakłamania, ale
cierpieć będą i ci, co wierzą, cierpieć będą niewinni, gdzie
drwa rąbią, tam wióry lecą.

Pociemniało mu w oczach, bo zbyt długo wpatrywał
się w słońce, i kiedy przestał widzieć ten różowy blask
i wygasił okazjonalne splendory, usłyszał
Twardy śpiew
krzyczący śpiew
który dziś
brzmiał inaczej, choć śpiewano tę samą pieśń, co zawsze w kościele.

Jak to blisko, pomyślał, wystukując o poręcz balkonu
popiół z fajki. Poczuł znużenie. Palcami unosił powieki,

ale oczy nie chciały mimo to patrzeć. Przez całą noc przygotowywał makietę bitwy pod Stalingradem.

– Ja już tylko patrzę, nic więcej – powiedział do ukołysanego jego własną sennością podwórza i zniknął w głębi mieszkania.

Mały Gnój wbiegł na podwórko z butelkami. Rzucił je za pakamerkę Marycha i wpadł do piwnic. Pojawiał się co pewien czas, niosąc następne. Pracował tak w samotnym pośpiechu, zaglądał do śmietników, udało mu się wygrzebać jeszcze trzy. Porzucił je i pognał na ulicę.

Powoli wracały kobiety z siatkami wypełnionymi towarem.

– Czy to jest rzecz, no niech pani powie – mówiła matka Szprychy do matki Miry. Tamta wzruszyła ramionami.

– Wszystkie dzieciaki tam poleciały.

– Jezus Maria, jeszcze się co stanie.

– Niech pani nawet tak nie mówi.

Wracała matka Marycha; Inżynierowa, Blokowa, nawet żona Pijusa przyłączyły się do grupy, ale dzieci nie było.

– Najwięcej to się boję nocy – powiedziała Stróżka.

– Czemu? W nocy już na pewno będzie spokój.

* * *

Porzucone przez Małego Gnoja butelki leżały bezużytecznie, nie znając swego przeznaczenia. Pakamerka daremnie czekała na Marycha. Jego matka parokrotnie w ciągu bezsennej nocy wyglądała przez okno.

Z otwartych okien słychać było nocny kaszel suchotnika, niezidentyfikowany płacz dziecka albo kota, roz-

paczliwe szczekanie Perły, pełnej jak najgorszych prze-
czuć, czyjeś kichnięcie, kłótnię dochodzącą z wysoka.

– Ciekawe, że jeszcze wczoraj był, a dziś znikł jak kam-
fora.

– Uważaj na słowa, co sobie myślisz, że mi był potrzebny twój stary kapelusz?

– Wczoraj był twój ojciec...

– No, ty chamie, mój ojciec nasra na twój stary kapelusz.

I nic ciekawszego, nic więcej nie było słychać, normalna spokojna noc. I dopiero kiedy posnęli ludzie i zwierzę-
ta, dopiero wtedy można było wyłowić z absolutnej ciszy
daleki, ciężki odgłos. Nie przerywał on jednak spokoju,
nie zakłócał niczyjego snu, lecz wtapiał się w ciemność,
jakby związany z nią organicznie. Drżała ziemia, po której przesuwały się bezustannie zwaliste, obłe kształty
z wystającą ciekawie do przodu trąbą, przesuwały się dyskretnie bez zbędnego oświetlenia, bez widocznej załogi,
jakby kierowane nieomylnie przez bezduszny mecha-
nizm. Czołgi powoli opierścieniały śpiące miasto.

Ktoś przechodził przez podwórko, gwiżdżąc przez
zaciśnięte zęby tę samą melodię, która tak znacznie zdez-
organizowała życie kamienicy. Po chwili z klatki schodowej wyłoniła się druga wydłużona postać i obie zniknęły
w pakamerce, nie zapalając jednak światła.

Kiedy wzeszło blade słońce przedświtu, podwórko
wyglądało prawie tak samo jak z wieczora. Zniknęły jedynie butelki znalezione przez Małego Gnoja.

Podwórko czekało razem z dorosłymi i dziećmi na
coś, co się miało wydarzyć. Dzieci obsiadły trzepak.

Matka Marycha przewodziła grupie stojącej przed
bramą środkowej klatki.

- Do czego to musiało dojść - mówiła.

- Ludzi mają za głupich - gorączkował się Cholewkarz.

- Jedno życie w gazetach, a drugie w domu - dorzucił Pijus dziś wyjątkowo trzeźwy.

- Jezu, żeby tylko się co nie stało. - Matka Marycha nie słuchała już, co mówią, lecz poddała się niepokojowi.

- Nic się nie stanie, niech się pani o nich nie martwi, już oni wszystko dobrze przygotowali, akurat są Targi, pełno gości zagranicznych.

- Co tam komu z gości zagranicznych, jak co do czego przyjdzie.

- Do swoich nie będą strzelać.

- A słyszał pan, co było pod radiostacją?

- To niemożliwe, na Dąbrowskiego wyszli z czołgów i z ludźmi się ściskali.

- To ciekawe, kto kobietę przejechał, sama widziałam plamę krwi nakrytą prześcieradłem i kwiaty leżały. - Stróżka popłakiwała cicho.

- To był nieszczęśliwy wypadek, zawsze są ofiary, kobiety i dzieci nie powinny wychodzić na ulicę.

Na chwilę milczenie zastąpiło rozmowy; prawie dało się słyszeć myśli kłębiące się w każdej głowie.

- Mój syn w wojsku - Stróżka nie mogła się opanować - jak mu każą strzelać...

- Nie będzie strzelał, niech się pani uspokoi. - Krawiec wskazał brodą trzepak, obwieszony dziećmi wiszącymi głowami w dół, na splątanych nogach, na jednej ręce, przewieszonych przez pół i w innych wymyślnych pozach akrobatycznych.

- No, rozkazu nie może nie wykonać - Pijus kręcił głową - rozkaz jest rozkaz.

- Kto da rozkaz strzelania, pomyśl pan.

- Kto ma dać, ten da - sentencjonalnie odezwał się Kaczmaruszek, który na własną rękę zamknął już spółdzielnię i jako bezrobotny miał czas na zastanawianie się.

- A Marycha jak nie ma, tak nie ma - powiedziała znów jego matka.

- Pewnie siedzą tam u „Stalina", mój mąż też nie wrócił na noc z Tramwajów - pocieszyła ją słabo Inżynierowa.

- Było słychać strzelanie.

- Tylko ciekawe, kto do kogo strzelał.

- To jedno wiadomo - powiedział Krawiec - zawsze ci sami do tych samych.

- Nigdy nie jest tak źle, żeby nie mogło być gorzej - odezwał się Pijus całkiem trzeźwo.

- Całą noc nie zmrużyłam oka, czołgi jechały i jechały - powiedziała matka Marycha - dudniło, że aż się ziemia trzęsła.

- Musiały jechać obwodnicą - powiedział Krawiec.

- Nie, nie. To tylko na postrach. Czołgów nie użyją - pocieszył wszystkich Pijus.

- ...No chyba z dziesięć tysięcy ludzi stało, jak dolecieliśmy - opowiadał Pająk - i to żelastwo spadało z dachu Ubezpieczalni, zwalali i zwalali, nikt nie miał pojęcia, że to taka maszyneria, całe tony, tam na dole stali robotnicy w kombinezonach i odsuwali ludzi, bo to jednak z szóstego piętra, jakby tak dopieprzyło, toby nie było co zbierać, a jak wszystko zwalili, to ludzie zaczęli brać na pamiątkę, myśmy przynieśli pełne kieszenie...

- Ja dałam ojcu, niektóre części przydadzą mu się do radia, a koledzy Pająka z technikum brali całe skrzynki... - mówiła Szprycha.

- Szkoda, że nie widziałem, ale matka mnie zamknęła w domu i pilnowała, nie mogłem spierdolić. - Mareczek był rozżalony.

- I wiara się śmiała, jak to leciało? - spytał Kaju.

- Jeszcze jak, co zleciało, to ryk śmiechu.

- Za to potem nikt się nie śmiał - powiedziała Szprycha.

- A co było?

- To nie dla dzieci - powiedział Pająk.

- Ojejku, ale się staluje, myśli, że jak przestał przychodzić na podwórko, to od razu nie wiadomo co, wielkie co, że jest w technikum. Każdy pójdzie.

- Powiemy im - zadecydowała Szprycha.

- To powiedz. - Pająk odszedł kawałek dalej, ale zaraz wrócił.

- No więc jak skończyło się przed Ubezpieczalnią, to poszliśmy jeszcze kawałek się przejść i zaszliśmy na most Dworcowy, z góry było widać pełno ludzi i słychać taki wrzask, że się przestraszyłam, Pająk chciał mnie odciągnąć, ale nie zdążył i zobaczyłam, że szarpią... nie mogę, powiedz dalej...

- Chciałem ją odciągnąć, bo zobaczyłem, co się święci, ale było za późno, to wszystko trwało chyba parę sekund, może dłużej, nie wiem, i kiedy ten tłum się rozbiegł, na torach zostały strzępy munduru z przylepionymi kawałkami ciała, naprawdę, nie było nic, tylko te kawałki...

- Najgorsza była czapka...

- A Szprycha wpatrywała się i nie mogła przestać, aż zaczęła rzygać z mostu na dół - powiedział Pająk.

- Jeden pan, który też stał przy barierze i to widział, potrzymał mi głowę do tyłu, wytarł mi buzię swoją chustką, starszy człowiek, i słyszałam, jak powiedział: Ten nieszczęśliwy kraj, co się z ludźmi porobiło...

* * *

Około piątej po południu przez bramę wjazdową wtoczyła się dębowa beczka lekko popychana przez dwóch mężczyzn. Niższym, któremu ledwo wystawała głowa, był Pijus, wyższego, krótko przystrzyżonego blondyna nikt nie znał.

- Tu na środku, na samym środku! - wołał Pijus.

Zrobiono miejsce olbrzymiej beczce i wszyscy stanęli w ciasnym pierścieniu dookoła niej.

- Nie lubię piwa. - Pijus wytarł czoło dużą chustką, krzywiąc się z obrzydzeniem na sam dźwięk słowa piwo.

- Nie umiem pić piwa.

Drugi mężczyzna podwijał rękawy szarego kombinezonu. Wszyscy skupili uwagę na tej czynności, nie odrywając oczu od jego przedramienia. Kiedy podwinął mankiet, ukazały się drapieżne pazury ptasie pokryte drobniutką łuską, potem w miarę zawijania wyłoniły się skrzydła, prawie pozbawione piór jak kościotrupie ramiona, a w końcu dwie ptasie głowy w koronach z masywnymi dziobami, wyrastające z jednej, rozwidlającej się szyi.

- Skąd ta beczka? - spytał Krawiec.

- Zdobyliśmy - spokojnie odpowiedział Pijus.

- Dawali przed Browarem, każdemu, kto chciał - dopowiedział ten wytatuowany.

241

- Szklaneczki potrzebne.
- Mam w spółdzielni - zaofiarował się Kaczmaruszek.
Pająk i Mareczek poszli z nim przynieść parę sztuk.
- Tu pić, a nie wiadomo, co tam się dzieje. - Matka Marycha chodziła niespokojnie po podwórku.
- A co można robić innego. - Pijus odbijał beczkę.
- Ja piwa nie tknę - zastrzegał się.
Matka Marycha czuła, że ktoś ją obserwuje. Podniosła głowę i zobaczyła w oknie panią Donię, stojącą za zasłoniętą firanką.
- Niech pani zejdzie - zawołała głośno - co było, minęło.
Po chwili zeszła pani Donia, prowadząc przed sobą starą matkę jak tarczę. Podchodziły do beczki wolno i ostrożnie, jakby była pełna prochu. Wszyscy milczeli. Cholewkarz przesunął się i zrobił trochę miejsca starej matce pani Doni. Ktoś podłożył jej aksamitną poduszkę pod kruchy tyłek.
Pani Donia stała z boku. Decydowała się widać na coś, bo kilka razy otwierała usta. Wreszcie przesunęła się w kierunku Krawca i wykrztusiła:
- Wycofałam sprawę piwnicy.
Wyciągnęła rękę. Krawiec patrzył przez panią Donię na drzewa w ogrodzie za parkanem. Przyniesiono szklanki musztardówki, do których Kaczmaruszek wprawnie jak barman nalewał dużym kubkiem rzadkie jasne piwo.
Pająk stał między grupą dzieci i dorosłych, jak parlamentariusz.
- Masz, pij - powiedział Kaczmaruszek wesoło, podając mu szklankę z wystającą pianą.
- Co pan, dziecku alkohol - oburzył się Pijus.

- O głowę wyższy od pana.

- Ja nie urosłem, bo za wcześnie zacząłem pić - powiedział Pijus i wszyscy się roześmiali.

Pająk podniósł szklankę i obejrzał zmętniały płyn pod światło.

- Ale znawca - zażartował Kaczmaruszek.

Pająk patrzył na drobną pływającą zawiesinę i czekając, aż się ustoi, myślał o Marychu z takim natężeniem niepokoju, że zaczął się bać.

- Najpiękniejsza jest wolność. - Obcy wzniósł swoje piwo.

- To się łatwo mówi - odezwał się milczący dotąd Krawiec. - Łatwo powiedzieć: wolność, a potem co?

- Niech każdy robi, co chce. - Nieznajomy pogładził wytatuowanego ptaka o dwóch głowach. - Jak się zaczęło, to niektórzy nie chcieli wychodzić, ale jak na środku dziedzińca zapalili stos i zrobiło się gorąco od palonych akt, wszyscy wylecieli...

- I tak bez niczego się poddali?

- A co mogli zrobić?

- A za co pan siedział? - Blokowa, cicha jak nigdy, jednak nie wytrzymała.

- Psa zabiłem - odpowiedział Więzień i roześmiał się cicho.

- Od razu wiedziałem, że uciekł z pierdla - szepnął Pająk - jak tylko go zobaczyłem.

- Może to morderca - powiedziała Szprycha z lękiem.

- Możliwe. - Pająk nie odrywał oczu od tatuażu.

Więzień był młody, z jasną twarzą o bladych oczach i ustach. Stróżka przeżegnała się ukradkiem. Spostrzegł to i nalał sobie następną szklankę piwa.

- Nie ma się czego bać, w więzieniu też są ludzie - powiedział.

- Czasem nawet lepsi niż na wolności - powiedziała cicho Inżynierowa z oczyma pełnymi łez.

Słońce miało się ku zachodowi, z beczki ubyło ledwo trochę, do pierwszej obręczy, a mężczyźni już odważnie i uczciwie ustawiali świat, tasowali rządy, przywódców i wprowadzali zasady tam, gdzie ich nie było.

Dzieci wdrapały się na dach garażu, gdzie miały punkt obserwacyjny, i skąd słyszały wszystko, o czym mówiono.

Nagle gwar podwórka wtopił się w silne głosy przybliżające się od strony ulicy. Wrócili tramwajarze. Kolorowe suknie kobiet i ubrania dzieci przemieszały się z granatowymi mundurami.

Krzyki radości, płacze, pytania i odpowiedzi latały nad podwórkiem-studnią, zamiast ptaków siedzących spokojnie na drzwiach i balkonach jak na widowni amfiteatru.

- Żreć mi się chce, a nie tam piwo - powiedział ojciec Kaja.

- Powiedzcie najpierw, jak tam było.

- Nie ma nic do opowiadania.

- A tamtych czterech wypuścili?

- Wypuścili.

- Nikomu nic się nie stało?

- U nas włos z głowy nikomu nie spadł.

- A Marycha wciąż nie ma - powiedziała jego matka.

- Stamtąd ma dalej, zresztą nie wiadomo, czy przyjdzie na noc.

- O Boże, żeby to się już skończyło.

- Jeszcze trochę i będzie po wszystkim.

Rozchodzili się całymi rodzinami do mieszkań. Przerzedziło się.

– Na razie jest taki bajzel, że nie będą szukali – mówił Pijus, chodząc z rękami założonymi do tyłu.

– Muszę się dobrze zadekować – powiedział Więzień.

– Żeby ten Marych już przyszedł. – Pająk wyłamywał sobie po kolei palce rąk z głośnym chrząśnięciem.

– Tu cię nikt nie wyda – zapewnił Pijus.

– Tak się zawsze mówi.

– Taa – powiedział Pająk – z naszego podwórka na pewno nikt.

– Może gdzieś pojadę, jak się trochę uspokoi.

– A ma pan matkę? – spytała odważnie Szprycha.

– Nie wiem – odpowiedział Więzień.

– On nie żartuje – powiedział Pająk – on naprawdę nie wie.

– Każdy ma matkę, bez tego ani rusz, to jest pewne, bo ojców może być wielu, ale matkę ma każdy tylko jedną. – Pijus nalał sobie trochę piwa do szklaneczki, powąchał je, łyknął i zaraz wypluł. Po chwili jednak nalał znowu. Zmienił system picia. Brał wielkie gulgoczące łyki, nie odrywając szklanki od ust.

– Dar boski nie może się zmarnować – powiedział do niego Krawiec, ruszając w stronę domu.

Pająk przysiadł się do matki Marycha.

– Może wyjdę i zobaczę, może Marych już idzie.

– Ani się waż, jak idzie, to przyjdzie. – Zaczęła płakać.
– Ja już z tym chłopakiem nie mogę dać rady, jakby miał ojca, toby było inaczej. Wciąż mu mówiłam: nie mieszaj się, Marych, ale gdzie tam, jak do ściany, gdzie tam.

– Zaraz będzie przemówienie. – Pająk wskazał oczami ojca Eli stojącego na balkonie. Palił fajkę i patrzył w niebo, tak jakby na podwórku nie było nic godnego uwagi.

- Ten to ma rułę - Pijus był znacznie weselszy po piwie - ale taki głupi znów nie jest, jednak się nie pokazał na ulicy.

- Swój rozum ma, co się będzie narażał, tylko ten mój Marych taki głupi, że się musi do wszystkiego wmieszać, zawsze taki był.

- I taki już zostanie.

Na podwórko wszedł drobny mężczyzna w białym lekarskim fartuchu. Rozejrzał się dookoła i zanim zdążył podejść do grupy siedzących na schodkach ludzi, matka Marycha już była przy nim i szarpała go za rękaw.

- Co z Marychem, co się stało z Marychem?! - krzyczała.

- Pani jest jego matką? - zapytał chyba tylko po to, żeby zyskać na czasie.

- Co jest, gdzie on jest?

- Niech się pani trzyma, mam do zakomunikowania...

- Mów pan, zabili go? No niech pan mi powie prawdę, zabili go? - Jej głos przebijał się do nieba.

Wszyscy otoczyli małego mężczyznę.

- Stan jest bardzo ciężki.

- Gdzie leży?

- U „Dzieciątka Jezus".

Pająk wziął pod rękę matkę Marycha i poszli za małym człowiekiem do karetki pogotowia stojącej na ulicy.

- Przyjechałem karetką, bo inaczej by nas nie przepuścili.

- Pojadę - powiedział Pająk do matki Marycha - muszę pojechać.

Ona nie słyszała, co do niej mówił. Dawała się prowadzić jak obłąkane dziecko, otwierała usta i szeptała:

„Boże, choć Cię nie pojmuję, jednak nad wszystko miłuję..." Jej zawsze rumiana twarz straciła wszystką krew.

– Zobaczymy, co się da zrobić, ma silny, młody organizm, ale to paskudna rana.

– Kiedy to się stało?

– Przypadek, pech – mówił drobny mężczyzna, wsiadając do karetki. – Nikt tego nie chciał, to nie leży w niczyim interesie...

– Kurwa mać – powiedział Więzień, stojąc na chodniku – nie leży w niczyim interesie!

– Jak wrócisz, to przyjdź powiedzieć, chociaż w nocy! – zawołała Szprycha za odjeżdżającą karetką.

Ściemniło się zupełnie. Więzień z Pijusem siedzieli smętnie nad beczką bez dna, w której ciągle i ciągle było piwo. Co pewien czas któryś wstawał i znikał za rachityczną akacją albo za garażem. I pili dalej. Wreszcie głowy im zwiędły i opadły na kolana.

Więzień przebudził się nagle, drgnął ukłuty wolnością owiewającą go z czerwcowym wiatrem, popatrzył dookoła na kamienny mur domów z wygaszonymi oknami, na ziemię, na niebo, na beczkę z piwem, na Pijusa, chrapiącego równie głośno jak w łóżku, i wytrzeźwiał.

– Idziemy spać. – Przewiesił sobie Pijusa przez ramię i zapukał do okna sutereny.

– Zaraz otwieram – powiedziała żona Pijusa. – Dobrze, że usnął, będzie spokój do rana.

Kiedy zniknął Więzień z Pijusem, podwórko skryło się w ciemnościach. Zastygło w zgrozie oczekiwania na dalszy bieg zdarzeń.

Otwór beczki wyglądał jak zamarły krzyk z koszmarnego snu. Nie było już wiatru, ale topole szemrały każdym liściem z osobna. Przez cały dzień błyszczały jak nawoskowane, teraz zmatowiały i straciły jędrną soczystość. Nie mogły pogodzić się z nagłym wyrwaniem Marycha z pejzażu podwórka. To on, zapuszczając co rano motor, godził czasy dawne: trawnik, zielony żywopłot, biegające dzieci, ptaki, motyle, koty, myszy, z czasami nowymi: z betonową płytą, dwoma garażami, kawałkiem gołej ziemi i uschniętą akacją.

Pakamerka Marycha napęczniała bólem, wybrzuszyły się drzwi, ciężka żelazna kłódka połyskiwała z wysiłku kilkoma niezardzewiałymi plamami.

Stara, przeszło osiemdziesięcioletnia wrona poleciała nie wiadomo dokąd; być może nie chciała uczestniczyć w powolnym dogorywaniu podwórka, a może nie żyła już od dawna i może te parę czarnych piór, które znalazł kiedyś Mały Gnój, to była ostatnia po niej pamiątka.

Oko Opatrzności narysowane przez Pająka zmyło się bez śladu i bez żalu, poznawszy światopogląd chłopaka.

A jednak. Jednak było coś widzącego i wiedzącego wszystko. Czuło się to w gęsiej skórce zasypiających dzieci i w bezsennym strachu dorosłych, w szumie drzew znających Marycha od urodzenia.

Świadomość umierającego Marycha, przytomna i gęsta, jakby zawarła w sobie wszystkie przyszłe lata, które mógł przeżyć w szczęściu i w nieszczęściu, wisiała nad podwórkiem razem z niebem, opuszczała się coraz niżej z wierzchołków topól na dachy domów, wciskała się przez otwarte okna do mieszkań, nie pozwalając ludziom zasnąć spokojnie, docierała do suteren, niepokoiła nawet Perłę przeczuwającą swój los (kiedy się wszystko ułoży, będzie można nareszcie spokojnie dać ją uśpić), nie dawała spać Więźniowi myślącemu z nadzieją o wolności, spracowanej Stróżce modlącej się o zdrowie syna w wojsku i za Marycha, na zmianę Ojcze Nasz i Zdrowaś Mario, za syna i za Marycha, tak, podobno wczoraj też ktoś zginął, gdzie drwa rąbią, tam wióry lecą, ale tak nie można, nie, to niemożliwe, wszystko jak wszystko, ale nie z naszego podwórka, na naszym podwórku nigdy...

Topole nastawiają liście-uszy, liście-usta, liście-serca i chłoną te myśli i powtarzają je niebu i ziemi, powtarzają też głosem Marycha wypowiedziane zdanie:

"Nie becz, matka, przecież jeszcze żyję".

Powietrze wchodzące przez otwarte okna przynosi coraz to nowe powiewy z podwórka i wtłacza je do mieszkań, skąd uchodzą nadzieje i obawy lokatorów.

Może będzie inaczej, myśli Cholewkarz, chociaż przez jakiś czas, może domiar umorzą.

Trzeba się będzie dowiedzieć, czy w Radzie Narodowej zostanie ten sam kierownik, Blokowa w środku bezsennej nocy trzeźwo ustala plan działania.

Albo się zmieni, albo się nie zmieni. Kaczmaruszek jak zwykle sceptyczny przewraca się na drugi bok.

Sytuacja wymagała już ideologicznego naprostowania, ojciec Eli przerwał na moment ślęczenie nad "Dziełami wszystkimi" i nabił fajkę.

– Człowiek nie będzie musiał się już bać własnego cienia – mówi Inżynierowa wprost w ucho swego wychudłego męża.

Czy to możliwe, żeby za kawał mogli zamknąć? Stróżka przypomina sobie, co jej mówił Eda, kiedy był ostatnio, ciekawe, jak mu tam jest, Fabryka Papierosów też się przyłączyła.

Dobrze, że wycofałam sprawę piwnicy. Donia podkłada wałek pod głowę, bo uwierają ją papiloty.

W domu co innego i w szkole co innego, człowiek się od tego zaczął robić głupi, Mareczek wcielał się przez pół nocy w postać Marycha, wyobrażał sobie, jak pada zraniony przypadkową kulą, która nieprzypadkowo znalazła się w jego ciele.

Ciekawe, co się stanie z motocyklem Marycha, Mały Gnój od dawna marzy o szybkiej jawie, pewno Pająk go dostanie.

Jak tylko nie będzie gorzej, to już będzie lepiej, ojciec Szprychy zapala w ciemności papierosa. Płomień zapalniczki odbija się przez moment w ciemnej szybie okna od podwórza.

Szprycha przewraca się gwałtownie na drugi bok.

– Czemu nie śpisz? – pyta ojciec.

– Jeżeli Marycha zabili, nigdy już nie będę spała – mówi Szprycha.

– Tylu ludzi umiera za nic – mówi jej ojciec – że umrzeć za coś to już jest dużo, jak mnie szlag trafi, to co kto będzie z tego miał, rodzina zgryzotę i koszta pogrzebu. A umrzeć tak jak on, to znaczy, wiedzieć, za co, takich śmierci nie zapomina się nigdy, nawet jeżeli się potem o nich nie pamięta.

Leżą z oczami przywykłymi do ciemności, czekając na świt, który może więcej niż noc: uśpi znużonych i przywróci ład na podwórku, pokoloruje na zielono liście drzew, wydobędzie z ciemności blaszane garaże, położy refleksy wczesnych promieni na kubłach do śmieci, może nareszcie dziś przyjadą śmieciarze, przebudzi gołębie, one zawsze dobrze śpią, a na końcu wywlecze z łóżka Stróżkę, wetknie jej w ręce miotłę i zmęczoną jak lunatyczkę zmusi do zamiatania.

Kiedy zamiecione do czysta podwórze trzeba będzie polać, zanim zacznie się upalny czerwcowy dzień, Stróżka przykryje beczkę z piwem, żeby nie naleciało wody do środka, bo to piwo i bez tego jest rzadkie, wyciągnie czarny połatany wąż gumowy, odkręci jego zwoje i uruchomi kran.

Upłynie długa chwila między jego odkręceniem a pierwszymi strzelającymi kroplami, ważna chwila między działaniem a skutkami, moment na zastanowienie, czy najpierw skierować ożywczy strumień na betonową płytę, czy na usychającą akację.

Spis treści

Polecamy bestsellerowe książki Krystyny Kofty

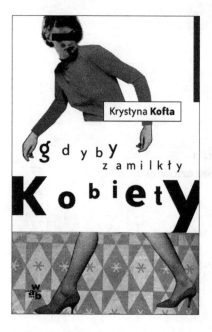

Głównym tematem tego zbioru esejów jest relacja między kobietą a mężczyzną: odwieczna asymetria tego układu, problemy z porozumieniem, sposoby umacniania istniejącej więzi i grożące jej niebezpieczeństwa. Czy ciężar podtrzymywania związku musi spoczywać na kobiecie? Czy źródłem konfliktu mogą być wcześniejsze relacje między matką a synem? I co najważniejsze, czy warunki tego damsko-męskiego układu są czymś nienaruszalnym? Próbując odpowiedzieć na te pytania, autorka korzysta z przykładów z życia, sięga także do wielkich dzieł literatury, klasycznych prac psychologicznych i filozoficznych.

Książka jest fragmentem dziennika prowadzonego przez autorkę od przeszło trzydziestu lat, opisującym szczęśliwie zakończone zmagania z rakiem piersi. To przede wszystkim opowieść o uczeniu się na nowo siebie i swojego życia. Krystyna Kofta pisze o tym, jak mimo cierpienia zmusić się do aktywności, jak nie poddać się bólowi i depresji, jak zdobyć się na dystans, a nawet poczucie humoru. Książka jest nie tylko ostrzeżeniem, jest także zapisem wewnętrznej przemiany – zmiany hierarchii wartości, relacji z ludźmi, stosunku do własnego życia.

Bogna Wegner - główna bohaterka i narratorka powieści, jest outsiderką. Kolekcjonuje wspomnienia własne i cudze, zdarzenia całkiem realne i metafizyczne, złe i dobre mity z dzieciństwa. Wobec podpatrywanego świata zachowuje dystans, który wówczas, gdy sama staje się jedną z osób dramatu, zamienia się w nie pozbawioną szczerości autoironię. Tak dzieje się, gdy Bogna wikła się w nieważny romans z młodszym od siebie mężczyzną...

Powieść Krystyny Kofty to baśń ery Internetu. Intrygująca historia ambitnej nastolatki jest przypowieścią wykorzystującą tradycyjne baśniowe opozycje: dobra i zła, winy i kary oraz miłości i nienawiści. Ta porywająca historia to zarazem pierwsza polska powieść internetowa, współtworzona przez internautów – rówieśników bohaterki.

Redakcja: Agata Kurkus-Soja
Korekta: Anna Hegman
Redakcja techniczna: Alek Radomski

Projekt okładki i stron tytułowych: koniec_kropka
Na okładce wykorzystano zdjęcie archiwalne przedstawiające
wypadki czerwcowe.
Fotografia autorki: © Hanna Prus

W książce wykorzystano zdjęcia z archiwum domowego
Krystyny Kofty (strony 26, 54, 72, 110, 130, 168, 186, 216),
ze zbiorów Archiwum Dokumentacji Mechanicznej w Warszawie
(strony 150, 228, 238) i Ośrodka „Karta" (strona 12).
Zdjęcia ze stron 38, 90, 204 i 246 pochodzą z prowadzonej
w 2006 roku przez „Gazetę Wyborczą" Poznań
akcji „Poznań 1956". Ich autorami są kolejno: Alfred Budziński,
Adam Nowak, Halina Danieluk i Janusz Korpal.

Wydawnictwo W.A.B.
02-502 Warszawa, ul. Łowicka 31
tel./fax (22) 646 01 74, 646 01 75, 646 05 10, 646 05 11
wab@wab.com.pl
www.wab.com.pl

Druk i oprawa: Drukarnia Wydawnicza im. W.L. Anczyca S.A., Kraków

ISBN 83-7414-185-9